Eurus

Notus

実践　自分で調べる技術

宮内泰介　Taisuke Miyauchi
上田昌文　Akifumi Ueda

Boreas

岩波新書
1853

目　次

第4章　リスクを調べる

第1章　調べるということ

1　調べよう

世界は複雑

私たちが生きているこの世界は、ほんとうに、いやになるほど複雑です。

私たち一人ひとりが、ただふつうに生きていこうとするだけでも、その都度その都度さまざまな制度にぶちあたります。いろいろな知識も必要とされています。法律は数限りなくあり、その多くが私たちの生活に直結しています。福祉や医療についても、自分で学ばなければならないことが数多くあります。年金についても、ちゃんと知らないと将来、不安になりそうです。

そして、それらを決める政治について、一人ひとり的確な意思表示が求められています。

しかし、意思表示せよと言われても、簡単ではありません。一つひとつの問題について、多くのことが複雑にからみあっています。さらには、いろいろな利害、さまざまな価値観があることもわかっています。あちらを立てればこちらが立たずの状況も少なくありません。いったい何が正解なのでしょうか。

今日、この世界の複雑さを前に、巨大な役割を担っているのが、国家というしくみでしょう。巨大になった国家は、テーマごとに細かなセクションにわかれ、各セクションがそれぞれ複雑な制度を作り上げています。そしてそこに、細分化された大量の「専門家」が加わり、大きなしくみを全体として動かしているように見えます。私たちはとりあえず、それに従っておけばよいようにも見えます。

しかし、国家の万能神話、専門家の万能神話は、世界中いたるところで崩れています。日本でも、巨大な資金を投じて進めてきた原子力開発が、福島原発事故を生み、しかしそれでも原発をやめる政策に舵《かじ》を切れないでいます。保育園の待機児童問題が、長年の指摘にもかかわらず、いまだに解決されません。経済格差は広がるばかりです。

どうしてこんなに複雑になってしまったのか。どうして複雑になるばかりで問題は解決しないのか。困難をかかえた複雑さを前に、そこから逃げ出したいと思う人が増えるのは無理からぬことかもしれません。しかし、そう思う人が多くなればなるほど、今度は単純化した議論が跋扈《ばっこ》しはじめます。「あの人たちが悪いからこうなっているんだ」、「〇〇を変えさえすれば社会はよくなる」。威勢のよい、そのような議論が幅をきかせることは、とうてい健全な社会とは言えないでしょう。

調べて解決への道を考える

複雑さに耐えながら、しかし、国家や専門家に任せないで、自分たちのことは自分たちで決める。納得できる形で自分たちで決め、自分たちで解決する。それは、どうすれば可能でしょうか。この本は、その手段の一つとして「調べよう」と主張します。

私たちがふつうに生きていこうとするときに直面するさまざまな問題を考えるために、調べることが大いに武器になる。社会全体として解決しなければならない問題を考えるために、調査が活用できる。調査をうまく使いこなすことにより、私たちが私たちらしく生きていくことができる。この本は、そう主張したいと思います。

ちょっと調べればわかるはずなのに、調べないまま的外れな発言がなされている場面に、私たちはよく出くわします。「ちょっと調べれば」には、ちょっと文献に当たれば、もあるでしょうし、ちょっと詳しい人に聞いてみれば、もあるでしょう。ちょっと聞き取りをしてみれば、もあるでしょうし、ちょっと統計を見てみれば、もあるでしょう。

ちゃんと調べれば、解決の道筋が見えてくるはず。反対に、調べないまま解決策を考えると、的外れでとんでもないことになるかもしれない。問題はさらにこじれてしまうかもしれない。

この本では、その「ちゃんと調べる」の道筋を、解説していきたいと思います。

調べることはむずかしくない

しかし、調査、というと、しりごみしてしまう人も少なくないかもしれません。調査なんて、大学の先生とか、研究所の研究者とか、そういう人たちがするものだ、と多くの人が思い込んでいるように思います。

ところが、「調べる」ということは、私たちが生きていくうえで、日常的に行っていることです。私たちは、何かをするときに、どこかで聞いた話とか、何かで勉強したこととか、テレビで聞いた話だとか、そういったものをもとに行動しています。たしかに、調べて行動しているのです。ただし、この、ふだん行っている「調べる」は、不十分だったり、間違った情報だったりすることもあります。

不正確な情報に振り回されることを回避し、「ちゃんと調べる」ことを身につける。それはどうすればできるでしょうか。

2　調べることで、何をめざすのか

何をめざす調査か

正確なことを調べるのは、じつは思うほどむずかしくありません。私たち一人ひとりが生きていくなかで必要なことを調べる。さらに、よりよい社会をつくっていくために調査する。この本では、その具体的な方策を検討していきたいと思います。

たとえば、自分が暮らす町の高齢者福祉の状況はどうなっているのか。一人暮らしの老人は安心して暮らしているのか。貧困世帯はどういう困難をかかえているのか。また、近所の携帯電話基地局のアンテナは安全なのか。「空間除菌」グッズは本当に効果があるのか。あるいは、最近起きた災害の被害はどうなっているのか、復興はうまくいっているのか。さらには、自分の暮らす町ではこれからどんな環境保全を考えていくことが必要なのか。この町の農業の現状や課題はどういったものか。

私たちの社会がかかえている問題を解決する、私たちがより安心して暮らせる社会をめざす、そうしたことのための「調査」が、この本で主に想定されているものです。もちろん、同様の調査は、もっとさまざまな場面で使えます。職場や大学、社会教育などで使われる場面も十分想定しながら、この本を書きました。

市民による調査はなぜ有効か

しかし、市民による調査って言ったって、調査は本来は専門家が行うはずのもので、市民が行うのは所詮《しょせん》その二番煎じじゃないか。そういう見方があるかもしれません。

しかし、この本で主張したいのは、そうではないのではないか、むしろ、市民による調査こそが、ある意味、本当の調査研究ではないか、ということです。これはどういうことでしょうか。

専門家は、その専門領域で議論になっていること、わからないことを、追求しようとします。さらに今日、専門家はより細分化され、それぞれの専門家はその細かな専門のなかでの「正しさ」や「厳密さ」を追求します。専門家集団(学界)のなかで評価されることが、彼らには重要です。それはときに、私たちの本当の必要から離れた研究かもしれませんし、私たち市民にとってはあまり意味のない「正しさ」や「厳密さ」かもしれません。

一方、市民による調査は、自分たちが自分たちの生活にとって必要なこと、自分たちの社会にとって重要なことをやろうとします。そして、具体的な解決策をめざします。社会を直接相手にするわけですから、その「正しさ」や「厳密さ」は、専門家集団によってではなく、社会によって検証されます。

さらに、市民による調査は、調査をする人と問題を解決しようとする人とが同じである、あるいは近いところにいる、という最大の特徴をもっています。調べて発表して終わり、ではなく、調べるなかでやらなければならないことが出てきたら、どんどん実践する、ということも、市民による調査の有効性を示すものです。

水俣病の経験

このあたりのことを深く考えた一人に、原田正純《まさずみ》さん(一九三四〜二〇一二年)がいます。水俣病患者に長く寄りそう医師であり研究者であった原田正純さんは、専門家より住民のほうが正しかった、というエピソードを披露しています。

「水俣で、生まれてきた子が発症しているとわかった時、医学者はみんな、『母親の胎盤を毒物が通るなんてありえない』と考えた。でも、お母さんたちは『私から水銀が行ったに違いない』と一発で言い当てた。胎児性水俣病の発見です。母親は専門家と言っていい。それを『あなた方は素人。俺たちは専門家だから正しい』という風にやってきた」(『朝日新聞』二〇一一年五月二五日のインタビュー記事より)。

生まれながらの水俣病である胎児性水俣病の存在は、最初専門家のあいだでは疑われていました。毒物が胎盤を通って子どもに移るということはない、と考えられていたからです。しかし、母親たちは、赤ん坊の様子、自分たちの生活実態、まわりの状況、さまざまなものから、自分の子どもは水俣病以外の何物でもない、と考えました。結局は、そちらのほうが正しかったのです。

原田さんのこのインタビューが行われたのは、二〇一一年五月でした。同年三月一一日の福島第一原発事故のあとです。原田さんは福島原発事故を意識して、この発言をしています。「専門家」たちが「安全」だと言いつづけた原発が事故を起こし、さらにその放射能の影響についても「専門家」たちが「たいしたことはない」と言う。そういう状況を前に、これは水俣病の繰り返しだ、と原田さんは発言しました。

「過ちを繰り返さないためには、現場を離れることなく、風通しを良くして、現場から学ばなければならない」。そう原田さんは言います。「(水俣病の問題を)狭い医学に閉じ込めてしまった教訓や『素人』の指摘がしばしば正しかったことから考えれば、バリアフリーの学問、専門の枠組みを超える学問、そして『素人』『専門家』の枠組みをも超えた市民参加の開かれた学問でありたい」(原田 2007: 280)。

市民が参加する開かれた研究、専門分野に閉じこもらない研究こそが、問題の解決につながるのです。

ちなみに、今、(原田 2007: 280)と書きましたが、これは原田さんが二〇〇七年に書いた文章の二八〇ページという意味です。その文章が何なのかは、巻末の参考文献リストを見るとわかります(『水俣への回帰』という本です)。アカデミックな世界で使われるこの表記法は、覚えておくと便利です。というのも、どこか一カ所にまとめて文献の書誌情報を書いておけば、あとは、自分のノートでも何でも、引用したところには(原田 2007: 280)とだけ書けばよいからです。

専門家の知識も利用する

さて、市民みずからが調査すると言っても、もちろんそれは、専門家を排除するものではありません。あとでたくさん紹介するように、専門家が書いたものは大いに利用する必要がありますし、専門家の知識は大いに活用します。市民からすれば、それ自体が「調査」なのです。専門家が提示する「知」を、私たち市民の側からもう一度組み立て直し、専門家集団のためではない、国家のためでもない、私たち自身の「知」を作り出していく。それが市民にとっての「調査」です。

しかし、専門家の「知」を再構成しただけでは、私たちが知りたいことについてわからないことも少なくありません。そのときは、私たち自身がデータをとってくる、つまり調べてくる、ということが必要になってきます。

この本では、そのように、自分たち自身が足でデータをとってくる、専門家が報告したものを集める、あるいは、自分で観察や測定をする、といった幅広い「調査」の方法について、解説していきたいと思います。

しかし、そういうことは本来、新聞やテレビなどマスメディアの役割じゃないのか、と思う人もいるかもしれません。しかし、そこまでマスメディアに期待できるでしょうか。じつのところ、何か魔法のような技術がマスメディアにあるわけではありません。えてして私たちは「大事な問題なのにメディアが伝えてくれなかった」と言いがちですが、考えてみると、メディアが伝えてくれない、ではなく、自分たちで調べよう、となってもよいのです。

じつは、自分たちで調べることのメリットの一つは、マスメディアが流す情報についても、どこまでが信頼できるのかについて、少しわかるようになることです。実際マスメディアからの情報は、たいへん正確なものから、そうでないものまで、玉石混淆《ぎょくせきこんこう》です。調査の技術を身につけることで、その玉石混淆の度合いが少し見えてもきます。

調査をデザインする

では、具体的にどう調査すればよいのでしょうか。

「調査」という言葉からイメージするものは、人によって違うかもしれません。いわゆるアンケート調査を思い浮かべる人、何か機器を使って測定するようなものを思い浮かべる人、誰か人に話を聞くような調査を思い浮かべる人、いろいろでしょう。

それはすべて確かに調査と言えるのですが、調査の範囲はさらに広く考えてよいでしょう。この本で扱うのは、広い意味での「調べる」こと全般です。

市民による調査は、手法や対象があらかじめ決まっている専門家による調査ではありませんので、この手法でなければならない、というものはもちろんありません。いわば、なんでもありです。しかし、「なんでもあり」だからといって「なんでもいい」わけではありません。どんな「なんでもあり」があるのか、それぞれの調査手法の向き不向きは何か、などを考える必要があります。

市民による調査は、たいてい一つの調査手法だけでは完結しないものです。複数の調査手法を組み合わせることが必要になってきます。この点も、じつは専門家による調査よりも優位に立つ可能性があるゆえんです。この課題については、まずこの調査を行い、次にこの調査との調査を行う、といった組み立て方で調査を行う、それぞれの調査でわかる範囲はこういうこと、それでもわからない範囲はこういうこと、といった「調査のデザイン」が重要になってきます。

この本全体で詳しく説明していきますが、あらかじめ見取り図を描いておくと、調査には大きく六つあります。まず、統計調査、質問紙調査（アンケート調査）、測定の三つで、これらは「量的調査（定量調査）」に分類できます。量的調査とは「数字」（数値データ）を集めてくる調査ということです。残り三つは、文献・資料調査、聞き取り調査、そして観察で、これらは「質的調査（定性調査）」と呼ばれます。

量的調査が数字（数値データ、量的データ）を集めてくるものだとすれば、質的調査とは、数字以外のものを集めてくる調査です。数字以外のものとは何かというと、そのほとんどは「言葉」を集めてくるものです。質的調査は「言葉」(文字データ、質的データ)を集める調査だと、とりあえず、言ってよいでしょう。

表1−1のように、それぞれの三つは対称関係にあり、書かれた数字を集めてくるのが統計調査、書かれた言葉を集めてくるのが文献・資料調査、書かれていない生《なま》の数字を人びとから集めてくるのが質問紙調査、書かれていない生の言葉を人びとから集めてくるのが聞き取り調査です。質問紙調査は、人びとから直接数字を集めるのではなく、人びとに簡単な質問をしていって、それを「1」と答えた人何人、「3」と答えた人何人、と数字に変換していく方法です。そして、聞くのではなく、見て(あるいは機器を使って)数字を集めてくるのが測定(交通量調査や降雨量測定などを思い浮かべてください)、見て言葉を集めてくるのが観察です。観察は、たとえば、ある人びとの集まりのなかに入れてもらい、そこで様子をうかがい、言葉で記録する、といった調査方法です。

この六つの調査類型を頭に入れたうえで、ちょっと練習問題を考えてみましょう。

表1-1　調査の6類型

量的調査	質的調査
統計調査	文献・資料調査
質問紙調査(アンケート調査)	聞き取り調査
測　定	観　察

【練習問題1】

自分が暮らす町の子育て支援の課題について、調査し、報告をしてください。

さあ、どこから手を付ければよいでしょうか。まず、「子育て支援」とは何を指しているのか考えてみましょう。「子育て支援」と言ったときに、ある人は子育てサークルをイメージし、ある人は待機児童問題をイメージするかもしれません。乳児の段階での支援もあるでしょうし、小学校入学前くらいの段階での支援もあるでしょう。共働き世帯かどうかでも、必要としている支援は違うかもしれません。

練習問題はとくに子育て支援のどういう側面と絞っていないので、まずは、子育て支援全体について調べる必要があるでしょう。たとえば役場の担当部署や子育て支援センターなどに行って、全体的なことを聞くところから始めてもいいかもしれませんし、あるいは、何か入門書で子育て支援の概括的なものについて知識を仕入れてもいいかもしれません。

そのうえで、より詳しく調べようとすると、いろいろな方法が思い浮かびます。子育て中の母親や父親に話を聞く、保育園や幼稚園の先生に話を聞く、子育て支援のＮＰＯなどがあればそこに話を聞く。あるいは、どのくらいの世帯が子育て世代で、かつそのうちどのくらいが共働きなのか、などを統計で調べてみる(そういう統計があるのかどうかを含めて)。また、自分の町以外のところで、何か先進的な子育て支援をしているところがあればそれを調べる。たとえば、新聞記事のデータベースでそれを調べてみる。あるいは、そうした事例を紹介したレポートを探して読んでみる。また、実際に子育てサークルの会合に出てみて、経験してみたり、グループ・インタビューしてみたりする。

そういう「調査」をどんな順番でどんな組み合わせで行っていけばよいかを考え、順番にやっていく、ということが必要になってきます。とはいえ、最初からはっきりした組み合わせや順番を決めることはむずかしいですし、その必要もありません。おおざっぱな方針を決めておいて、やりながら柔軟に方法を変えていくということも必要になってきます。調べていくうちに、こういうことも調べないといけないということがわかり、当初の予定を変更して、その調査を次に行う、ということも出てきます。

どんな調査をどんなふうに組み合わせればよいかは、考えたい対象、考えたいテーマによりますし、柔軟に変更しながら実施すべきです。しかし、いずれにせよ、いろいろな調査の方法を頭に入れておけば、そのどれとどれをどう組み合わせればよいかが見えてきます。

困難を克服し、実践へ

もちろん市民が調査をするというのは簡単ではありません。資金、人材、ノウハウ、時間といった種々の資源が欠如していることはいかんともしがたいものがあります。会社勤めの人が日曜日に調査しようと思っても、国会図書館は開いていません。調査のノウハウが会得できるような場も、なかなかありません。お金もありません。専門家への研究費は、文部科学省の科学研究費というものだけでも、二三七二億円(二〇一九年度)が投入されましたが、研究機関に所属していない人は使えません。

こうした困難は確かにあるのですが、たとえば情報へのアクセスという点については、以前に比べればかなりよくなっています。困難は困難として、それらを一つひとつ克服していくことは十分可能である、と考えます。この本も、そういう困難を克服していく一助として書かれました。

というわけで、市民による調査は、実践あるのみですので、次の章から、順を追って、具体的な調べる技術を考えていきたいと思います。

第2章　文献や資料を調べる

1　文献・資料調査とは

多様な「調べ方」と文献・資料調査

　さて、「調べる」といったときに、みなさんはどういうものをイメージするでしょうか。ある人は、図書館で本や雑誌を探す姿を想像するかもしれません。ある人は、測定器具を使って何かを測っている姿を想像するかもしれません。ある人は、いろいろな人に聞いてまわっている姿を想像するかもしれません。「調べる」のイメージは、案外、人によって違うものです。

　そして、そのどれもが、間違いなく「調べる」技法です。つまり、「調べる」やり方には多様なものがあって、それぞれに特徴があり、それぞれに強みと弱みがあります。文献や資料を読んで調べる。歩いて、見て、調べる。人に聞いて調べる。測定器具を使って調べる。多様な調べ方があることを、まずは頭に入れておきましょう。

そのなかでも、文献や資料、つまり書かれたものは、調べるときの基本であり、また基礎です。文献・資料とは、具体的に言うと、本、論文、新聞記事、雑誌記事、報告書などです。一ページだけの資料などというのも、これに入ります。さらにインターネット上の情報も、これに含まれます。

文献や資料は、人びとが「これが大事だ」、あるいは「これは伝えたい」、「これは残しておきたい」と思ったことを、さまざまな情報をもとに系統的にまとめたものです。つまり「大事」な情報がコンパクトに、わかりやすくまとまっているのが、文献・資料です。何か調べたいことがあったり、解決したい問題があったりするとき、まず手に取るべきは、これら文献や資料でしょう。

しかし、注意も必要です。「大事」な情報がまとまっている、といっても、それが「大事」だと考えているのは、あくまでその資料をまとめた人の視点です。本当にそれが大事な情報なのか、あるいはそのまとめ方が正しいのかは、受け手が考える必要があります。文献や資料を

「批判的に」読む、というのはそういうことです。

紙媒体かネットか

今日、何かを調べるというときにネットから情報を得ることは欠かせません。ネットから得られる情報の量は、年々増加しています。

しかし、ネットで調べられるものの範囲と、旧来の印刷された媒体（本や雑誌など）で調べられるものの範囲は、異なっています。

たとえば、コンピュータ関係の情報なら、紙媒体よりネット上の情報のほうが圧倒的に多いし、また有益でしょう。あるいは国連など国際機関が発する情報も、紙媒体より圧倒的にネットの情報のほうが多いでしょう。

しかし一方、ある地域の歴史を調べたいと考えると、おそらくネット上に載っている情報はごくわずかで、そのほとんどは紙媒体（本や雑誌論文など）でしょう。あるいは、社会福祉にかかわる問題を知りたいとしたら、やはり本や雑誌論文が多くなるでしょう。

近年では、ネット上の情報と紙媒体の文献とのあいだの境はどんどんあいまいになっています。紙媒体と同一の内容がネット上で公開されていることも多く（PDFで公開されていることが多い)、たとえば新聞は紙媒体で発行されたのと同じ内容が、ネット上にデータベースとして蓄積されています。

そもそも両者のあいだに、何か本質的な差があるわけでありません。むしろ、どちらも「誰かが書いたもの」だという共通点のほうが大事でしょう。

ですから、この本では、紙媒体のものとネット情報とを一続きのものと考え、まずは紙媒体のものから順番に話を進めていくことにします。

本か論文か

紙媒体のもの、というと、多くの人は「本」を思い浮かべるかもしれません。大きな書店や図書館に行くと、大量の本があります。何かを調べようとするとき、本を見るというのは、たしかに最も考えやすい方法です。

しかし、あえて、この本では、本を調べるのは少し後回しにしたいと思います。

というのも、私たちが調べたい情報というものは、本来こまぎれなものです。「本」という媒体は、本来こまぎれなはずの情報を、最初から最後まで通して読むことを目的として、周到に「編まれた」ものです。「本」は、一冊一冊が、一つの閉じた世界をかたちづくっています。

それこそが、本というものの真骨頂《しんこっちょう》であり、魅力です。人は、一冊の本を手にしたとき、それが小説だろうが、専門書だろうが、そこに全体を貫くストーリーを期待します。そこにわくわくしたり、感銘を受けたりするのです。

しかし、そのことは、情報を集めるという視点に立ったとき、「本」という形態の欠点でもあります。

たとえば、「化学物質の管理」という問題について日本でどのような政策がとられてきたのか知る必要が出てきたとしましょう。それについてわかりやすく書かれた本がないか、探してみます。図書館の蔵書検索などで「化学物質」とか「化学物質管理」といった言葉で探してみても、技術的な本ばかりで、なかなか政策について書かれた本は見つかりません。しかし、たまたま図書館で手に取った『環境政策の新地平6 汚染とリスクを制御する』という本をめくっていると、そのなかに「化学物質管理政策の発展と展望」という章がありました。日本における化学物質管理政策がどのように始まり、どういうプロセスを経てきたかが描かれており、まさに自分が探していた内容でした。

本を探すとき、今日通常、アマゾンなどのネット書店や、図書館の蔵書検索(OPAC《オーパック》)などを用います。そのほとんどは、本のタイトルや著者名で探すしくみをとっています。しかし、本のタイトルは「環境政策の新地平6　汚染とリスクを制御する」というものでした。「化学物質」も「化学物質管理政策」も入っていません。今回はたまたま図書館を見てまわっていたら偶然見つかりましたが、見つけるのは簡単ではありません。「化学物質管理政策」について有益な情報が載っているこの本に、「化学物質」というキーワードでたどり着くことは簡単ではないのです。

このように情報を求めて本を探す、というのは案外むずかしいのです。では、どうすればよいでしょうか。

いったん本をあきらめましょう。本ではなくて、雑誌記事や雑誌論文を探しましょう。ここで言う雑誌記事・論文とは、学術雑誌、専門雑誌、一般雑誌などに載っている記事や論文です。短いもので一ページ、長いもので数十ページ、平均すると数ページのものです。記事や論文、という言い方をしましたが、要は、広い意味での「雑誌」に載っている数ページの文章のことです。これを、記事と呼ぶときもあれば、論文と呼ぶときもあれば、レポート、報告などと呼ぶときもあります。それらを総称して、ここでは「記事・論文」と呼んでおきます。

記事・論文は、特定の事象について、短く、かつ、詳しく書かれたものです。ですから、私たちが何か知りたいことを調べるにはうってつけなのです。しかも、そこに付けられているタイトルは、本のタイトルに比べて、より内容を正確に表しています。そもそも記事・論文そのものが短く、かつ、タイトルは長く、副題が付いていることも多いので、タイトルが直接に内容を指していることが多いのです。

とすれば、このタイトルを調べることができれば、知りたい内容をかなりストレートに探すことができる、ということになります。

そしてそれは、今日、簡単にできます。記事・論文検索のサービスはいくつかありますが、最も網羅的《もうらてき》に探すことができるのが、「国会図書館サーチ」です(なお、この章では、日本語の論文について扱います。英語論文の探し方、読み方については第4章で扱います)。

2　雑誌記事・論文を調べる

国会図書館サーチ

「国立国会図書館サーチ」(https://iss.ndl.go.jp/)は、日本で発行されている図書や雑誌記事・論文などの情報を網羅的に集めた巨大なデータベースです。国会図書館サーチは、国会図書館がもともともっていた図書のデータベースや雑誌記事・論文のデータベースなどを統合し、さら

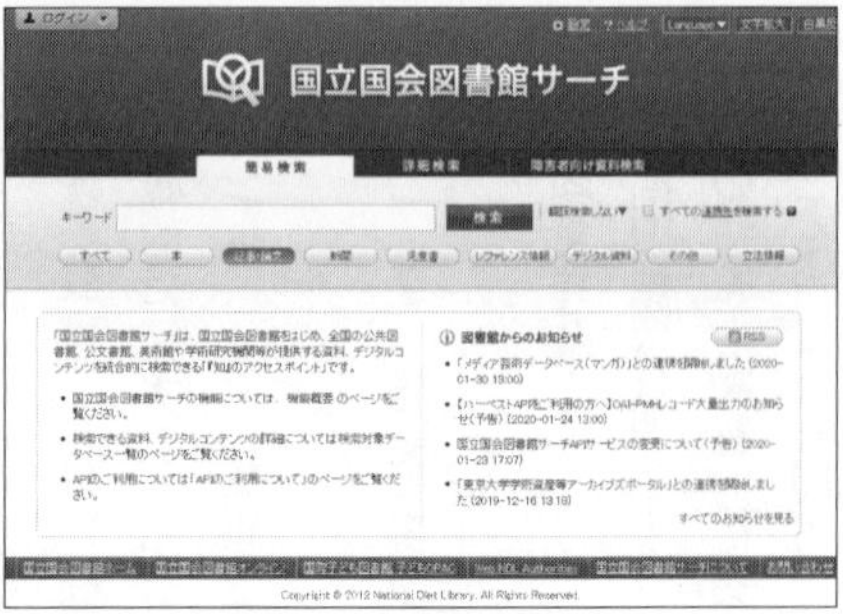

図 2-1　国会図書館サーチ

にそれに外部のデータベースをも連結させたものです。本や雑誌論文などを検索する日本最大のポータルサイトと言ってよいでしょう。

「国会図書館サーチ」のすぐれたところは、図書も雑誌論文もデジタル資料も一度に検索できるところにあります。しかし調べる技法は、図書を探すのと、雑誌記事・論文を探すのとでは違っていますので、ここでは、「国会図書館サーチで雑誌記事・論文を探す」方法にしぼって説明します（国会図書館サーチでの本の探し方についてはこのあとの「3　本を探す」で説明します）。

図2―1が、国会図書館サーチのトップページです。「すべて」「本」「記事・論文」「新聞」とボタンが並んでいるうちの、「記事・論文」をクリックして反転させてください。これで雑誌記事・論文だけを検索するモードになります。

たとえば、「コミュニティ・カフェ」について書かれた記事・論文はないか探したいとしましょう。「コミュニティ・カフェ」とは、地域のいろいろな人が集い、くつろげるような場所

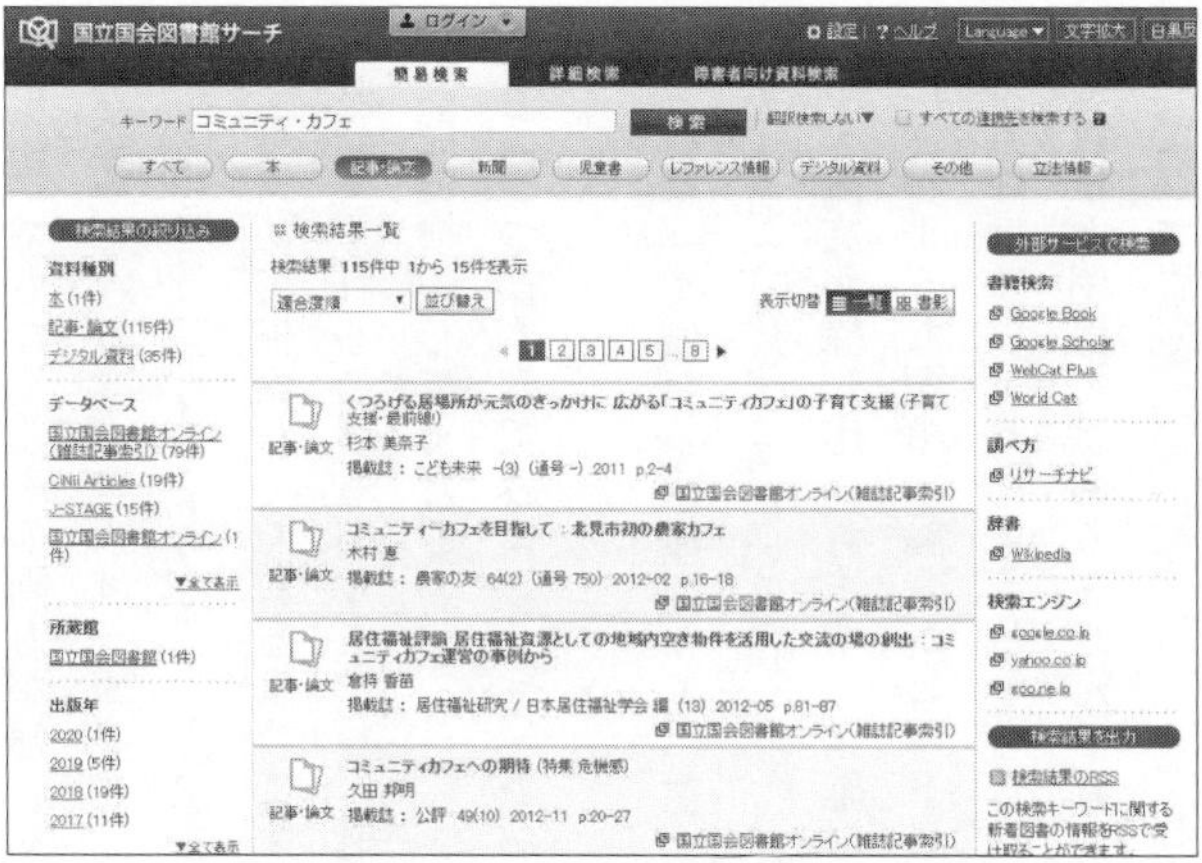

図 2-2　国会図書館サーチで雑誌記事・論文を検索する

です。コーヒーなど飲食を提供する場合が多いですが、それがないコミュニティ・カフェもあります。

そうしたコミュニティ・カフェについて書かれた雑誌記事・論文を探すため、「コミュニティ・カフェ」と入力して検索してみます(図2-2)。すると一一五件ヒットしました。「外国人居住者の支援拠点に備えられるべき要件――公共住宅団地に開設されたコミュニティ・カフェの『場の許容性』」という学術論文らしきものから、「くつろげる居場所が元気のきっかけに　広がる『コミュニティカフェ』の子育て支援」という読み物らしきものまで、多様なものが含まれているのに気がつくでしょう。これが国会図書館サーチの良さです。学術論文だけでもなく、一般的な記事やレポートだけでもなく、その両方が幅広く網羅されています。

ちなみに「コミュニティ・カフェ」は「コミュニティカフェ」と表記されることもありますが、「コミュニティ・カフェ」で検索した場合、「国会図書館サーチ」では「コミュニティカフェ」も含めて検索してくれるようです。そうした表記の揺れを「国会図書館サーチ」のほうで吸収してくれることもありますし、逆に吸収してくれないこともあります。必要に応じて複数の表記で検索してください。

もう一つ検索してみましょう。こんどは「宮城県の水産業」について調べてみたいとしましょう。

これは「宮城県　水産業」と、二つの言葉のあいだにスペース（全角でも半角でもかまいません）を入れて検索するのがよいでしょう。そうすると、この二つの言葉の両方に関係した雑誌記事・論文が探し出されます。正確に言うと、両方の言葉を、国会図書館サーチがもつ書誌情報に含むような記事・論文がヒットします。実際にやってみると、一一五件がヒットしました。一一五件は多いように思えるかもしれませんが、このくらいの件数ならリスト全体を見ることはそれほど困難ではありません。ざっと見ていくと、水産業ととくに関係なさそうなものも含まれていて（農業関係の論文だが、「農林水産業」というキーワードが入っていて、それが検索にひっかかっているなど)、それらを除くと、実質は五〇件くらいでしょうか。あとは記事・論文のタイトルなどを見て、自分が欲しい情報かどうかを判断し、たとえばそのうち一〇件くらいが欲しい情報だと考えれば、それについて現物を手に入れるように手配します(その方法は後述)。

しかし、「宮城県の水産業」について書かれた記事・論文を探すのに、「宮城県　水産業」というキーワードで検索するだけでよいでしょうか。「水産業」という言葉がタイトルになくても水産業について書かれた論文はありそうです。たとえば「宮城県　漁業」というキーワードを入れてみるのはどうでしょう。

実際に「宮城県　漁業」で検索してみると、一四八件ヒットしました。「宮城県　水産業」でヒットした一一五件とこの「宮城県　漁業」でヒットした一四八件を比べると、重複するのは一一件のみでした。あるいは、「養殖」はどうだろう、と「宮城県　養殖」で検索してみると、一〇九件ヒットしました。「宮城県　水産業」の一一五件と「宮城県　養殖」の一〇九件とでは、重複は三件、「宮城県　漁業」の一四八件と「宮城県　養殖」の一〇九件とでは、重複は一七件でした。つまり重複しないものが多いのです。

ですから、やはり宮城県の水産業に関する記事・論文を探したいときに、単純に「宮城県　水産業」と入れるだけではダメなのです。可能性のありそうな語句をいろいろ入れてみて、なるべくとりこぼしのないように検索することが重要です。

あるいは、「宮城県　水産業」、「宮城県　漁業」では広すぎるので、宮城県の水産業について具体的に何が知りたいのか考え、もっと絞ったキーワード、たとえば「漁協」とか「サケ」とか「資源管理」とかで検索してみることも、場合によっては必要でしょう。あまり絞りすぎると、ヒットするものが狭くなってしまいますが、逆に、あまり広げすぎると数え切れないものがヒットしてしまいます。広げたり、狭めたりを何度か繰り返し、適切な範囲の検索をしてみてください。

そうやって、必要なものを網羅的に集めることが、文献や資料を探すときには重要です。網羅的、といっても、関係ないものまで集める必要はありません。あれもこれもと集めても、資料が増えつづけるだけで、成果につながりません。かといって、狭く集めると、本当に有用なものを見逃してしまう可能性があります。「広く調べて、本当に必要なものについてとりこぼしのないように文献を集める」というのが基本です。

自分が知りたい内容について、とにかく守備範囲を広くして、どういう文献・資料があるか、まずはリストアップします（そのリストの記録は残しておきましょう）。そのなかから、次に述べるように必要なもののコピーや現物を手元に集めます。それほど数が多くないなら、リストアップした文献のコピーや現物をすべて手元においてもよいかもしれません。

国会図書館から雑誌記事・論文のコピーをとりよせる

さて、国会図書館サーチは、たいへん網羅的なので、あなたが調べたいことについて有用そうな雑誌記事・論文を見つけることができました。

しかし、そこで見つけることができたのは、あくまで論文のタイトルとそれがどの雑誌のいつの号に掲載されていたかという情報（書誌情報）です。

もちろん大事なのは記事・論文本体です。記事・論文本体は、どうすれば手に入れられるでしょうか。

ここでも国会図書館サーチはたいへん有用です。国会図書館では、指定した記事・論文のコピーを有料で送ってくれるサービスがあります。しかも、そのサービスは、この国会図書館サーチで文献を探すという作業の延長上でスムーズに行うことができます。

このサービスを受けるには、国会図書館に登録している必要があります。国会図書館を利用したことがある人は、ＩＤとパスワードをもっているはずですので、それを利用してください。初めて利用する人は、「インターネット限定利用者登録」が簡単です。「国立国会図書館オンライン」(https://ndlonline.ndl.go.jp/)の「ログイン」をクリックし、さらに「新規利用者登録」をクリックすると、「インターネット限定利用者登録」のページになりますので、そこからメールアドレスや住所氏名、パスワードを登録します。メールが送られてきますので、指示に従うと、IDが送られてきます。このIDとパスワードを使って記事・論文のコピーを手に入れます。ただし、実際に国会図書館を訪れる場合は、これだけでは利用できませんので、そのIDと運転免許証などの本人確認書類を持参し、「登録利用者カード」を発行してもらってから利用します。

国会図書館サーチのトップページにある「ログイン」をクリックして、得られたID・パスワードを入力すると、ログインされた状態の国会図書館サーチの画面に戻ります。

ここで「コミュニティ・カフェ」関連の記事・論文について現物を手に入れてみましょう。もう一度「記事・論文」ボタンをクリックして反転させたうえで、「コミュニティ・カフェ」で検索をします。その結果ヒットした一一五件の記事のうち、たとえば、野村知子著「地域の人々が元気になれる拠点づくりの可能性——認定NPO法人じゃんけんぽんの実践にみるコミュニティ・カフェと配食サービスの併設」という論文を読んでみたいとしましょう。リストを見ると、「掲載誌」が「桜美林論考　自然科学・総合科学研究(7) 2016-03 p.73-94」だと書かれており、つまり、『桜美林論考　自然科学・総合科学研究』というタイトルの雑誌(桜美林大学が発行している大学の雑誌(紀要)でしょう)の第七号の七三〜九四ページが、この論文が掲載されている場所だということがわかります。

すべての雑誌には、必ず巻数や号数がついています。とくに決まりはないのですが、一年単位で巻があり、そのなかにいくつかの号があるか、あるいは、巻がなくて通しで号数がついているかが、ほとんどです。このように雑誌の書誌情報の基本は、「何年何月発行」ではなく、「巻号」です。

さて、この論文の書誌情報からは、二二ページにわたる比較的長い論文であること、また、二〇一六年三月に発行された比較的最近のものだということもわかります。通常、雑誌記事・論文は短くて二ページ、長くて一〇ページくらいのものが多いのに対し、この論文は二二ページですから、いくらか詳しい情報が含まれているのではないかと期待もできます。

この論文の書誌情報の右下に「国立国会図書館オンライン(雑誌記事索引)」とあります。ここをクリックしてみましょう。そうすると、論文の書誌情報がもう一度詳しく出てきます。この画面の右下に「遠隔複写」というのがあるので(ログインしていないと現れません)、これをクリックします。これがコピー郵送サービスの入口になります。

「申込カートに追加」をクリックして、「申込手続に進む（申込カートへ）」をクリックするか、もとの画面に戻って右上のカートのマークをクリックすると、申し込み画面になります（図2–3）。このあたりはネット・ショッピングと同じイメージですので、そのまま進み、最後まで行くと、申し込み完了となります。

図 2-3　国会図書館サーチでコピーを申し込む

国会図書館の利用者登録の申し込みをしたときに登録した住所に、この論文のコピーが送られてきます。コピーと一緒に請求書と振込用紙が送られてきますので、コンビニ、郵便局、銀行でコピー代と送料を送金してください。現物が送られてきてからお金を払えばよいしくみなので、たいへん便利です。コピー代はA4やB4なら一枚二三円（税抜）、発送事務手数料二〇〇円（税抜）、それに実費の郵送料がかかります。

実際に先の論文のコピーをお願いしたら、六日後に手元に郵送されてきました。およそ一週間で到着すると考えてよさそうです。

二二ページの論文でしたが、見開き二ページを一枚にコピーしているので、一二枚分のコピー代二七六円、それに手数料(二〇〇円)、送料(二一〇円)で、税込みの合計七三三円でした。

J-STAGEで論文PDFを手に入れる

図 2-4 J-STAGE に掲載されている論文
論文の PDF が手に入る

ところで、「コミュニティ・カフェ」で検索したとき、「国立国会図書館オンライン(雑誌記事索引)」と書かれていないものがあることに気がつきます。

たとえば、菅原浩信著「NPOにおける商店街組織との連携のあり方――コミュニティ・カフェの運営を事例として」(『日本経営診断学会論集』14(0) p. 52–57)という論文のところには、「国立国会図書館オンライン(雑誌記事索引)」でなく、かわりに「J-STAGE」と書かれています。この「J-STAGE」をクリックしてみてください。すると、この論文が掲載されている雑誌『日本経営診断学会論集』のページが現れます(図2–4)。そこに「PD

Fをダウンロード」という部分があり、それをクリックすると、この論文本体がPDFで登場します。

これはたいへんうれしい機能です。つまり、国会図書館サーチで「J-STAGE」が出てきた場合は、とくに郵送を申し込まなくても、記事・論文そのもののPDFが即時に手に入るということです。

J-STAGE(https://www.jstage.jst.go.jp/)とは、日本のさまざまな学会による学会誌発行や公開を支援しているしくみで、多くの学会誌がこのJ-STAGEのしくみを使って公開をしています。そしてそのほとんどが、論文の中身をPDFで見られるようにしています。二〇二〇年八月現在、J-STAGEに収録されている学会誌は三一二一種類、論文の数は五〇八万本に上ります。

J-STAGE単独でも論文検索はできますが、国会図書館サーチに統合されているので、国会図書館サーチで検索して、そこからJ-STAGEに飛ぶほうが、使い方としては便利でしょう。

学術機関リポジトリデータベースIRDB

じつは以上のほかにもう一つ、論文を探し、現物を手に入れる方法があります。それが学術機関リポジトリデータベースIRDBです。IRDB(https://irdb.nii.ac.jp/)とは、日本の大学の「リポジトリ(貯蔵庫)」に蓄積されたさまざまな論文や報告書などを横断的に検索できるシステムです。これは、大学や研究機関がみずから発行している雑誌や報告書を含みます。研究者が、論文投稿した雑誌と別にその論文の原稿を上げている場合もあります。

ＩＲＤＢは、もちろん単独で使うこともできるのですが、国会図書館サーチのなかでもＩＲＤＢの検索ができますので、そちらの解説をしましょう。

国会図書館サーチでＩＲＤＢのデータを検索するには、先ほどから使っている「記事・論文」の枠組みではできません。ＩＲＤＢは、論文も報告書も同じレベルで扱っているので、国会図書館サーチの分類では「記事・論文」ではなく、「デジタル資料」の扱いになっています。

国会図書館サーチのトップページで「デジタル資料」をクリックして反転させ、やはり「コミュニティ・カフェ」で検索してみましょう。九三件ヒットしました。しかし、「デジタル資料」はＩＲＤＢだけでないので、画面左の「データベース」で「学術機関リポジトリデータベース(ＩＲＤＢ)(機関リポジトリ)」をクリックしてください。「デジタル資料」に絞っておかなくても、「すべて」で検索してから「データベース」で「ＩＲＤＢ」をクリックしても結果は同じです。

ヒットした二三件のどれでもよいので、各書誌情報の「学術機関リポジトリデータベース

図2-5　大学のリポジトリに掲載されている論文
国会図書館サーチから青森県立保健大学のリポジトリへ．ここで論文(PDF)が見られる

(ＩＲＤＢ)(機関リポジトリ)」をクリックしてみてください。すると、各大学・研究機関のリポジトリ画面が出てきて、そこから、論文本体をＰＤＦで見ることができます(図2−5)。

国会図書館サーチ経由だと、ＩＲＤＢそのものの画面を経ずに直接各大学などのリポジトリの画面に移動しますが、裏でＩＲＤＢが働いているのです。したがって、ＩＲＤＢのサイトからでもまったく同じことができます。

ＩＲＤＢには二〇二〇年八月現在で三二二万件の文献(そのうち、本文がＰＤＦなどで提供されているものは二四五万件)が登録されており、多くの貴重な情報がそこに含まれています。

雑誌記事・論文を図書館で探す

J-STAGEやＩＲＤＢで雑誌記事・論文のＰＤＦを手に入れることができない場合は、先ほどの国会図書館からコピーを送ってもらうという方法のほか、近くの公立図書館や大学図書館などでその雑誌を探し、コピーをとるという方法になります。図書館の使い方については、少しあとに詳しく述べますが、図書館で雑誌記事・論文を探すメリットは、関連あるほかの記事・論文が見つかりやすいということです。同じ雑誌のほかの記事・論文をパラパラと眺めて、関連あるものが見つかる、ということはよくあることです。

また、コピーをとったときには、必ず書誌情報(何という雑誌の何年の第何巻何号か)を記入しておいてください。

【練習問題2】

子どもの貧困について、諸外国でどういう政策が行われているのかを知りたいと思いました。それについて書かれた雑誌記事・論文を探し、重要だと思われるものを五点、手に入れてください。

【練習問題3】

マンションの生活騒音の問題について、どういう実態があり、またどういう対策がとられているのか、裁判事例も含めて、調べたいと考えました。それにかかわる雑誌記事・論文を探し、重要だと思われるものを五点、手に入れてください。

3　本を探す

本は探しにくい？

書かれたものを調べる第一の方法として、ここまで雑誌記事・論文の探し方について書いてきました。その冒頭で、本を調べるのはむずかしく、雑誌記事・論文のほうが探しやすいし、有用なことが多い、と述べました。

しかし、本ももちろん無視できません。

本は探しにくい。そう書きました。それは変わらないのですが、近年、少し探しやすくなっています。やはりデータベースのおかげです。

たとえば、もう一度、「化学物質管理政策」という先ほどの例を考えてみましょう。もし「化学物質管理政策」についてわかりやすく書かれた本を見つけたいと思っても、それが載っている『環境政策の新地平6　汚染とリスクを制御する』という本を探すのはむずかしい、なぜなら本のタイトルに「化学物質」も「化学物質管理政策」もないから、と書きました。

しかし、この事態は、じつは少し改善されています。というのも、本にかかわるデータベースが、タイトルだけではなく、内容、たとえば各章のタイトルなども含む形で検索できるようになってきているからです。「化学物質管理政策」というキーワードで『環境政策の新地平6　汚染とリスクを制御する』という本が見つかる可能性が出てきています。実際、このあと触れる国会図書館サーチでは、このキーワードでこの本がヒットします。

このことも含め、本の調べ方について見てみましょう。

国会図書館サーチ

今日、日本語の本を探す最もすぐれた手段は、雑誌記事・論文の検索でも取り上げた「国会図書館サーチ」です。ここで言う「本」には、書店で売っているたぐいの通常の本から、行政や各種団体が出している報告書や冊子、あるいは個人で出している私家版の本のようなものまで、さまざまなものが含まれます。

国会図書館サーチは、日本で発行された、ありとあらゆる「本」を含む(ことをめざしている)データベースです。

原則として、日本で発行された本はすべて国会図書館に納本しなければならないことになっており(国立国会図書館法)、それらは国会図書館の蔵書目録に入りますので、当然、国会図書館サーチにも含まれています。

しかし、残念ながら国会図書館に納品されないままの本(たとえば個人的に発行した本など)も相当数存在しています。それでも、それが地元の公立図書館に納められていれば、それも国会図書館サーチで検索できる可能性があります。というのも、国会図書館サーチは、国会図書館そのものの蔵書だけでなく、公立図書館など、さまざまな機関の蔵書やデータベースを含みつつあるからです。含みつつある、と進行形で書いたのは、実際にそれが進行中であり、逆に言えば未完だからです。

先に触れたとおり、国会図書館サーチは雑誌記事・論文と本の双方を統合したデータベースです。雑誌については国会図書館雑誌記事検索のほか、J-STAGEやIRDBなどのデータベースを統合したものでしたが、一方、本についても、国会図書館の蔵書(約一二〇〇万件)のほか、公共図書館蔵書(約四七〇〇万件)、そして大学図書館の蔵書(CiNii Books、約一二〇〇万件)などを統合しています。

では、実際に使ってみましょう。

たとえば、終戦直後のサハリン(樺太《からふと》)からの引揚について関心をもち、それについて書かれた本や資料はないか探したいとしましょう。

国会図書館サーチで、「本」をクリックして反転させた状態にして、「樺太　引揚」という言葉を入れてみます。そうすると三八一件の本がヒットしました。引揚体験集編集委員会編『生きて祖国へ6樺太篇　悲憤の樺太』(国書刊行会、一九八一年)など一般に出版されて本屋に並ぶような本だけでなく、『樺太の神社』(北海道神社庁、二〇一二年)といった、一般の書店では売られていない本も多数ヒットします。『生きて祖国へ6樺太篇　悲憤の樺太』の書誌情報を見ると、国立国会図書館と福島県立図書館などに所蔵されていることがわかります。あるいは、高野進著『生きてしあれば―歌集　樺太引揚者は歌う』(岩波ブックセンター信山社、一九八三年)という本もありますが、この本は国会図書館にはなく、茨城県立図書館が所蔵していることがわかります。

このように、国会図書館になく公立図書館にあるというような本も同時に検索できるのが国会図書館サーチの強みです。

ところで、「樺太　引揚」というキーワードでヒットした三八一件のなかには、『日本帝国崩壊期「引揚げ」の比較研究』(今泉裕美子・柳沢遊・木村健二編著、二〇一六年)という本もありました。しかし、この本のタイトルには「引揚げ」はあるものの「樺太」はありません。ではなぜ「樺太　引揚」でこの本がヒットしたのだろうかと、本の詳細情報を見てみると、章タイトルが載っていて、そのなかに「樺太からの日本人引揚げ」という章があることがわかります。この章タイトルのためにこの本が引っかかってきたのです。国会図書館サーチでは、こうやって章タイトルも情報に含まれている場合、それも一緒に検索してくれます。

これはたいへんありがたい機能です。この章の最初で、本は探しにくい、なぜならタイトルから中身の詳しい内容はわかりにくいから、と書きました。しかし、各章のタイトルが検索できれば、雑誌記事・論文を探すのと同じような感覚で、本を探すことができます。とくに多くの著者が分担して書いたような本の場合、それぞれが独立した論文のような意味合いがありますので、雑誌のなかの論文を検索するのと同じように、国会図書館サーチで本のなかの章、つまり本のなかの記事・論文を探すことができます。

実際にどのくらいの本が、その章タイトルを国会図書館サーチのなかに含んでいるのでしょうか。つまり、どのくらいの本が、章タイトルで検索できるでしょうか。

試しに検証してみました。なるべく、内容豊富で、それが本のタイトル全体にはなかなか現れていないような本、あるいは、複数の著者が各章を担当していて、それぞれに独立した章タイトルがついているような本をランダムに一〇〇冊選び、国会図書館サーチで調べてみました。結果は、一〇〇冊のうち、章タイトルが含まれていたもの三三冊、含まれていないものは六七冊でした。このような本のおよそ三分の一は、章タイトルも含めて国会図書館サーチで調べられるということです。

CiNii Books

図書を調べる基本は、この国会図書館サーチですが、それ以外のやり方もいくつかあります。もちろん、あまたある公立図書館、大学図書館それぞれの蔵書検索を使うのがその一つです。しかし、横断的に調べられるものと考えると、全国の大学にある本を網羅的に調べるCiNii《サイニィ》Books、本の中身も同時に調べられるGoogle Books、全国の公立図書館の蔵書を一気に調べられるカーリル、さらには、アマゾンなどのネット書店、そしてネット古書店、の五つが有力なものです。

CiNii Books (https://ci.nii.ac.jp/books/) は、日本中の大学にある本を網羅的に調べてくれます。日本中の大学なので、どこか一つの大学にしかないような貴重な本もヒットします。それがどこの大学にあるかも示してくれます。

なお、CiNii Booksは国会図書館サーチに統合されているので、国会図書館サーチ経由で調べることもできます。

本の中身から調べる――Google Books

Google Books(https://books.google.co.jp/)は、世界中の本の中身をスキャンしてデータベース化しようとする壮大な野望をもったもので、日本語の本についてもかなりのデータベース化が進んでいます。Google Booksがすごい、あるいは、こわいとさえいってよいのは、本の中身すべてをスキャンして全文検索できるようにする試みであることです。

そのため、Google Booksを使えば、ある言葉が使われている本を、網羅的に検索できます。その言葉が本のなかで一カ所でも使われていればヒットします。

たとえば、「地域おこし協力隊」について書かれた本はないか知りたいとしましょう。「地域おこし協力隊」は、総務省が二〇〇九年から始めた事業で、都市地域から農村に移住して、地域ブランドや地場産品の開発、販売、PR等の地域おこしの支援や、農林水産業への従事、住民の生活支援などの「地域協力活動」を行いながら、その地域への定住・定着を図るという取り組みです。すでに五〇〇〇人以上の人びとが、「地域おこし協力隊」として活動中です。

この地域おこし協力隊について、関連文献を集めてみようと、すでに関連する雑誌記事・論文は調べた、国会図書館サーチやCiNii Booksで関連図書も調べた、としましょう。しかし、それ以外にも地域おこし協力隊について少しでも触れた本はないか、と考えて、Google Booksを検索してみます。

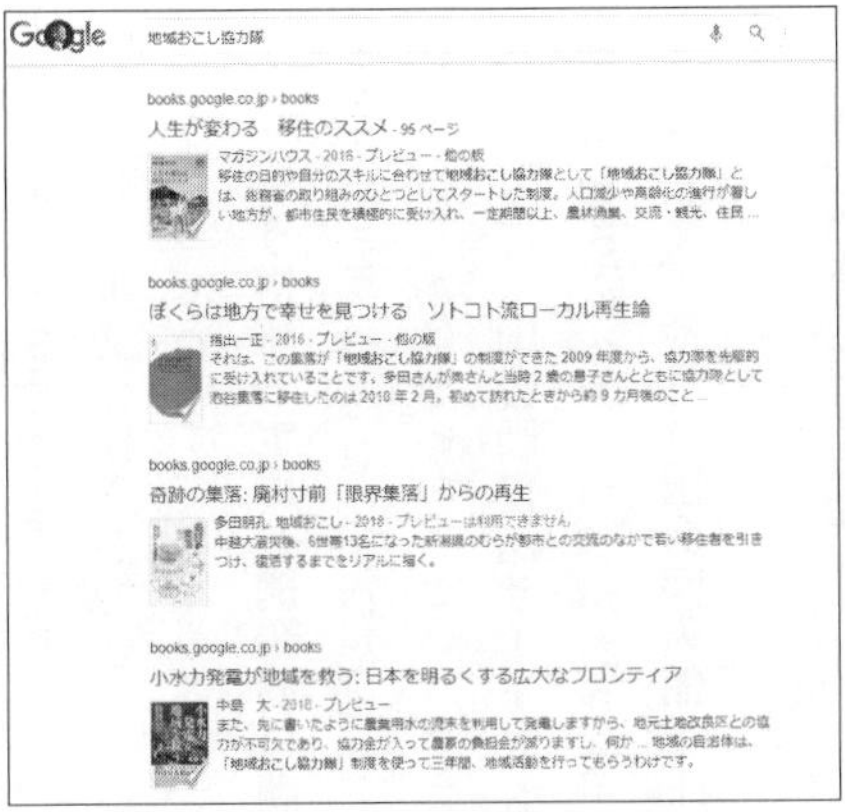

図 2-6　Google Books

キーワード「地域おこし協力隊」で検索してみると、関連する本が多数出てきました。それらには、国会図書館サーチではヒットしなかった本が多く含まれていました。たとえば、その一つ、指出一正著『ぼくらは地方で幸せを見つける――ソトコト流ローカル再生論』には、新潟県十日町市での地域おこし協力隊の活動について、詳しく書かれていることがわかりました(図2–6)。それに触れたこの本の一部のページもここで読むことができました。

ただし、Google Booksでは、全文検索ができるものの、その中身を全部見ることはできません。したがって、Google Booksで探して、あとは図書館などで見る、という形になります。
しかし、本文の検索ができるという強みは、文献調査にGoogle Booksが大いに使えることにつながっています。

本という情報の宝庫を網羅的に調べることは、これまでたいへんむずかしかったのですが、Google Booksはそれを大いに手助けしてくれます。とくに、ある事項について少しでも触れられている本はないか、というときに、大いに役立ちます。

ちなみに、国会図書館サーチでも、検索結果の画面右、「外部サービスで検索」のところにGoogle Booksへのリンクがありますので、検索した言葉でそのままGoogle Booksへ飛ぶことができます。やはり国会図書館サーチから出発するのが便利なのです。

図書館で本を探す方法

このように、本を探すという方法は、少しやりやすくなってきています。しかし、いつもネックになるのが、本の現物を手に入れることです。国会図書館サーチの記事・論文検索のようにコピーを送ってもらったり、J-STAGEのようにPDFですぐ見られたり、ということが本では不可能です。

したがって、その現物を見るには、本屋で見るか、図書館で見るか、ネット書店で購入して見るか、しかありません。

本屋というのは、基本的に新刊が置いてあるところです(大きな書店ならば少し古い本も置いていますが)。調べる目的で書店を使うことは、できなくはありませんが、あまり向いていません。

やはり向いているのは図書館です。

ただ、図書館、といってもいろいろあります。調べるために図書館へ行くなら、まず、なるべく大きな図書館へ行きましょう。都道府県立図書館や大学図書館が、それに当たるでしょう。あなたが東京に住んでいるのなら、いちばんのおすすめは都立中央図書館です(最寄駅は地下鉄日比谷線広尾駅)。ここは、館外貸し出しは一切できないものの、二〇〇万冊の蔵書を誇り、調査への支援も充実しています。二〇〇万冊のうち、三六万冊が開架です。

都立中央図書館のような大きめの図書館では、開架より閉架(書庫)のほうに多くの蔵書があります。開架の図書を見て、「ない」とは考えず、蔵書検索(OPAC)で、閉架の図書を探すことが重要です。ほとんどの場合、ネット上の蔵書検索で調べられますので、図書館を訪れる前にある程度目星をつけておくこともできます。

その町についての本や資料なら、市区町村立図書館がすぐれていますが、一般的に言うと、市区町村立図書館は、「読むための図書」を多く置いてあり、都道府県立図書館や大学図書館は「調べるための図書」を多く置いています。調べるさいに使う図書館は、主に都道府県立図書館や大学図書館だと考えてよいと思います。

なお大学図書館というと、大学関係者しか使えないイメージがありますが、じつは多くの大学図書館は一般市民に開放されています。簡単な手続きで、利用することができます。国公立大学のほとんどの図書館は、現在市民に開かれています。私立大学の図書館の一部も市民に開かれていたり、またその大学の卒業生に開かれていたりします。

大学は研究者や学生の調査に供することが大きな役割なので、新聞記事データベース、雑誌論文データベースなど、調べるための多くの調査ツールも備わっています。こうした調査ツールは学内者に限られることも多いですが、一部市民が使えるところもあります。自分にとって使い勝手のよい大学図書館を一つか二つ、確保しておくとよいでしょう。各大学図書館のホームページで市民利用の要領を知ってから行きましょう。

公立図書館を調べる——カーリル

国会図書館サーチでは、探している本が、どの図書館にあるかも同時に示してくれます。しかし、国会図書館サーチで調べられる公立図書館は都道府県立図書館などに限られています。カーリル(https://calil.jp/)というサイトは、探している本が、幅広くどの公立図書館、あるいはどの大学図書館にあるか簡単に調べてくれます。後で述べる専門図書館もこれに加えることができます。

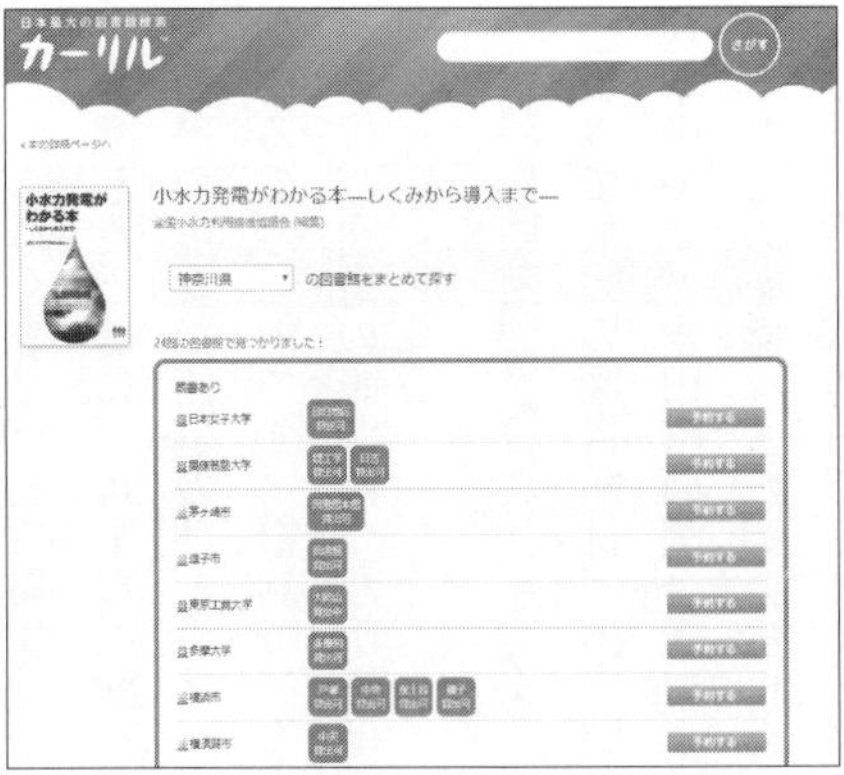

図2-7　カーリル

これまでは一つひとつの図書館のOPACで調べなければならなかったのですが、カーリルだと一度に調べられるので、たいへん便利です。さらに近くの公立図書館、大学図書館などを登録しておけば、探している本がそれらの図書館にあるかが表示されます(図2-7)。

司書にたずねてみる

図書館で調べものをする場合、蔵書検索で探す、開架の棚を眺めて歩く、書庫の本を出してきてもらってページをめくる、などの繰り返しになると思います。

そうしたときに、貴重な〝助っ人〟がいます。司書(ライブラリアン)のみなさんです。司書の重要な仕事のひとつは、利用者の相談に乗るということです。もちろん電話で問い合わせるのも可能です。電話で「本を探しているのですが」とか「参考係をお願いします」とか言えば、司書の誰かにつながるはずです。

実際に国会図書館に行ってみる

日本で最大の図書館は、国立国会図書館です。国会図書館は、まさに調べるための図書館の総本山です。永田町の国会議事堂の近くにあります(最寄駅は地下鉄永田町駅)。ここには、いろいろなものを調べるために毎日多くの人が訪れています。「国会」図書館という名前ですが、もちろん誰でも利用できます。国会図書館は、名目上、日本で発行されたすべての図書があることになっています。その数一一三五万冊(二〇一八年度)。これは図書の数で、これに、雑誌、マイクロフィルム、映像資料、博士論文等々を加えると、その数は四四〇〇万点以上になります。圧倒的な量です。

国会図書館は、毎日調べものをしている人でごったがえしています。すべての本は閉架で、いちいち申し込んで書庫から出してもらう形になるので、決して多くの本や資料を一度に見られるわけではありませんが、それでもほとんどの本や資料、雑誌があるということで、毎日多くの人が訪れています。

初めての人は登録が必要で、登録するとIDの入った「登録利用者カード」がもらえます。そのカードを使って、館内のPCで検索し、貸し出し請求をします。一度に、図書なら三冊まで、雑誌なら一〇冊まで貸し出しができます。貸し出しをして、内容を調べ、必要だと思ったらカウンターでコピーを依頼します。コピーは自分でするのではなく、すべて申し込みをしてコピーをしてもらう形になります(一枚二三円+税)。

国会図書館には、貴重な本や資料を求めて、毎日毎日多くの人が訪れています。地方からわざわざやってきている人もいます。逆に言うと、国会図書館は、どこの図書館でも調べられそうなことを調べに来るところではありません。いろいろ調べて、どうしても国会図書館でなければならない場合に訪れるのがよいでしょう。

また、もしそれほど急いでいないのなら、国会図書館の本は、あなたの地域の公立図書館から借りることもできます。もしあなたが大学生なら、自分の大学から借りることもできます。

この「相互貸借《そうごたいしゃく》」と呼ばれる制度は案外知られていないのですが、非常に便利な制度です。同じ制度は都道府県立図書館と市区町村立図書館のあいだにも、たいていの場合あります。都道府県立図書館どうしや市区町村立図書館どうしにもあります。ぜひ近くの図書館に問い合わせて聞いてみてください(図書館ホームページにも、たいてい記載があります)。図書館どうしというのは、案外連携があるのです。

先ほど、調べるための図書館としては都道府県立図書館、と書きましたが、それが近くにない人も多いでしょう。その場合、この相互貸借をうまく使えば、市区町村立図書館も、十分、調べるための図書館に変身します。

専門図書館もある

国会図書館、公立図書館、大学図書館はいずれも、広範囲にわたる図書を集めた図書館です。それに対し、範囲は狭いけれど、「いい品揃え」をしている図書館があります。何らかの特定分野に特化した小規模な図書館で、「図書館」という名前をつけていないところも多く存在します。何とかセンターの資料室、といった形で存在しているところも多くあります。

たとえば、東京の南青山にある公益財団法人日本交通公社の「旅の図書館」は、観光にかかわる図書・学術雑誌・統計・報告書のほか、各地のガイドブックや時刻表など約六万冊が所蔵されていて、誰でも利用できます。また、東京都練馬区にある農文協図書館（一般社団法人農山漁村文化協会）には、農業・食関係の図書・資料が、東京都千代田区にある市政専門図書館（公益財団法人後藤・安田記念東京都市研究所）には、地方自治関係の図書や自治体関係の統計書・雑誌が、それぞれ豊富にあります。

こうした専門図書館は、カーリルの「専門図書館リスト」(https://calil.jp/library/special) で全国の一覧を見ることができます。東京周辺なら東京都立図書館の「専門図書館ガイド」のページ (https://senmonlib.metro.tokyo.lg.jp/) でも、どこにどんな専門図書館があるか調べることができます。

また、これらの専門図書館の多くは、ネットで蔵書検索もできます。さらに、専門図書館の蔵書を横断的に検索するサイト dlib.jp (https://dlib.jp/) も登場し、たいへん便利になっています。

行政や業界団体などがつくった何とかセンターといったところにも、ちょっとした情報コーナーや図書コーナーがあって、一般の人でも利用できるというところがかなりあります。たとえば筆者（宮内）が住む札幌では、札幌市がつくった「札幌エルプラザ情報センター」というセンターに、市民活動、環境、男女共同参画などにかかわる有益な図書・資料が多数置いてあります。また、札幌市役所内にある札幌市市政刊行物コーナーには、札幌市政にかかわるさまざまな資料・統計などが数多く置かれています。

自分が行ける範囲のところで、情報収集に役立つこうした専門図書館や情報コーナーのありかを把握しておくことは、非常に有用です。

大切な本の「奥付」

さて、図書館で自分が探している情報が見つかったら、必要なところをコピーしましょう。

その際に注意しなければならないのは、必ず奥付を一緒にコピーすることです。奥付とは、本の最後にある、著者や出版社、発行年月日などが書かれた部分です(洋書だと本の最初にあります)。ここを一緒にコピーしておくことで、あとでコピー部分を使いたいときに、その出典を正確に書くことができます。出典が正確でないと、調べたことを報告するときの信頼性が大きく低下します。

人間は忘れやすく、書類は散逸《さんいつ》しやすいものです。たとえ、その出典を書いた紙がほかにあったとしても、コピーした現物そのものと一緒になければ、両者のつながりはあとでわからなくなってしまいます。奥付を一緒にコピーして、コピーの最後に一緒にしておけば、そうしたことを防げます。

ネット書店とネット古書店

アマゾン、honto、紀伊國屋書店ウェブストア、楽天ブックスといったネット書店は、本を手に入れるのにたいへん便利であるばかりでなく、本を探すのにも適しています。というのも、こうしたネット書店の本を探す機能は、検索した言葉から幅広く本をヒットさせるようになっているからです。本についての簡単な解説なども、検索の対象になります。たとえば、先ほども例に挙げましたが、「地域おこし協力隊」について書かれた本を探したいと考えたとしましょう。

アマゾン、hontoで「地域おこし協力隊」で検索すると、それぞれ一八件、一七件の本がヒットしました。同じ「地域おこし協力隊」を国会図書館サーチで検索した場合、一〇八件の本がヒットします。国会図書館サーチのほうがヒット数は多いのですが、じつはアマゾンでヒットした一八件の本のうち、一四件はこの国会図書館でヒットしたなかには入っていませんでした。hontoの一七件のうちでは、一〇件が入っていません。なお、アマゾンでヒットした一八件とhontoでヒットした一七件のうち、重なるものはわずか五件でした。

たとえば図司直也著『地域サポート人材による農山村再生』(筑波書房、二〇一四年)という本は、地域おこし協力隊について論じた重要な文献なのですが、「地域おこし協力隊」でこの本がヒットしたのはhontoだけでした。国会図書館サーチやCiNii Booksで「地域おこし協力隊」を検索しても、この本にはたどり着かないのです。

つまり、国会図書館サーチに比べ、ネット書店のほうが、幅広く「地域おこし協力隊」に関連した書籍を見つけることができる場合があるということです。

このように、ネット書店は、単に本を買うためだけでなく、本を幅広く探すためにも十分に使えるものです。ネット書店の検索で幅広く探し、実際の本は図書館で見る、というやり方もありうるわけです。もちろんネット書店で、そのまま購入することもできます。

雑誌記事・論文同様、本を調べる場合も、「広く調べて、必要なものについてとりこぼしのないように集める」ことが基本です。そのためには、国会図書館サーチを基本としつつ、いくつかのネット書店も使う、というのがよいでしょう。

本を調べる、あるいは、本を手に入れる、もう一つの重要なルートは、古書店です。

私たちのまわりにふつうにある本屋は、新刊本の店です。本屋に置かれている本のほとんどは、せいぜいこの数年の間に発行された本です。しかし、私たちが知りたいことが、新しい本には載っておらず、古い本にしか載っていない、ということはよくあることです。

古い本を見る方法の一つは図書館に行くことですが、もう一つは古本屋です。図書館の本は自分の手元にずっと置いておくことはできませんが、古本屋から買った本は、手元に置いて、線を引いたりすることもできます。ある本が鹿児島県立図書館にあることがわかっても、東京に住んでいる人は閲覧することすらむずかしいですが、ネット古書店で見つかれば、買って手に入れることができます。

古本屋はたいてい小さく、巨大な古本屋というものは存在していません。ですから、一軒の古本屋だけですませることはできません。しかし今日、古本屋のネット販売が、それを補ってくれます。

「日本の古本屋」(https://www.kosho.or.jp/)は東京都古書籍商業協同組合が運営しているサイトで、全国の古本屋のかなりの部分が参加し、古書の一大ネットショップを形成しています(図2–8)。使い勝手もたいへんよく、検索から購入までがたいへんスムーズです。

目当ての本の題名がはっきりしている場合だけでなく、

図2-8　日本の古本屋

キーワードで検索することももちろんできます。国会図書館サーチやCiNii Booksと同様の使い方もできるわけです。

たとえば「猟友会」(狩猟免許をもった狩猟者たちの団体)について参考文献を探したくて検索すると、『狩猟読本』、『狩猟鳥獣図解』、『近代日本狩猟図書館』といった、タイトルに「猟友会」が入っていない多くの本がヒットします。戦前の本から最近の本まで含まれていることもわかります。

同様のネット古書店に「スーパー源氏」(https://www.supergenji.jp/)とアマゾンがあります。アマゾンは今日かなりの古本を扱っており(正確に言うと、アマゾンというネットモールのなかで多くの個人や業者が古本を扱っている、ということなのですが)、「日本の古本屋」などの古書専門のネットショップに迫らんとしています。また、ヤフオクにもかなりの古本が出ています。ヤフオクは、個人だけでなく古書店も多く参入しているようです。

4　新聞記事を調べる

情報の宝庫、新聞記事を生かす

新聞は、間違いなく、情報の宝庫です。日本中で、数多くの記者が、毎日取材し、毎日記事を書いており、その集積が新聞です。

日本新聞協会のサイトによると、二〇一九年における記者数は一万七九三一人、うち女性記者は三八五九人（全体の二一・五％。二〇〇一年には一〇・六％でしたから二倍に増えていますが、それでもまだ男性記者の四分の一です）。あとでお話しする新聞記事データベースG-Searchで調べてみると、G-Searchに含まれている主要な全国紙、地方紙合計四八の新聞だけで、毎日一万件ほどの記事があることがわかります。毎日一万件ですから、一年で三六五万件の記事、一〇年で三〜四〇〇〇万件の膨大な記事が蓄積されていることになります。

貴重な情報である一方、使う場合には注意が必要です。

まず第一に、新聞記事がいつも正しいとは限らないということです。もちろん一般的な事項については、プロの校正係などがチェックを入れていますから、ほとんど間違いがないと考えていいと思います。しかし、具体的な事項、専門的な事項については、間違いのある可能性は少なくないと考えておいたほうがいいのです。たとえば事件について、新聞記者は通常警察発表を元に記事を書きますから、警察発表が間違っていたら、当然記事も間違っているわけです。

私たちが新聞記事を読む場合、（1）その記事が何を情報源としているか、（2）その情報源はどういう意図でその情報を流しているのか、（3）記事対象と記者の距離はどのくらい近いか、について常に注意を払う必要があります。

第二に、新聞記事は、あくまで記者の目を通してであることに注意しなければなりません。新聞記事は、一見客観性の装いをまとっています。しかし、その問題のとりあげ方、結論のつけ方、などは、あくまで記事を書いた記者、あるいはそれをチェックしたデスクの視点が入っています。このこと自体は悪いことでも何でもないし、むしろ下手に客観性を追おうとするより健全だと思います。大事なのは、私たち読者の側がそのことを認識しておくことです。

しかし、こうしたことに注意してさえいれば、新聞記事は情報の宝庫として、威力を発揮してくれます。

新聞記事データベースの活用

私たちが普段読んでいる新聞は、たいてい一紙か二紙程度です。全国紙や主要地方紙の場合、一日の記事はだいたい一〇〇～一四〇件くらいです（実際に複数の全国紙と地方紙を調べてみると、ほぼこの数字の範囲でした）。一紙を毎日隅から隅まで見ていたとしても、毎日一万件蓄積されている記事のわずか一％しか見ていないということになります。残りの九九％の新聞記事は、目に触れないまま通り過ぎていっているのです。

たくさんの新聞のうち一紙しか読めていないということがもちろんその理由の一つですが、もう一つには、私たちが紙媒体で読んでいる新聞記事が、その新聞社の記事のうちの一部にすぎないということがあります。

たとえば朝日新聞を東京で購読していたとして、そこで読めるのは、朝日新聞が全国で流している記事のごく一部です。どういうことかというと、札幌で読む朝日新聞、東京で読む朝日新聞、福岡で読む朝日新聞は、別物です。全国レベルの大きな記事は同じことも多いですが（違うことも多い）、「地方版」のページでの地域ごとの記事を中心に、それぞれ違う紙面になっています。

ある日の朝日新聞朝刊の紙面に載っていた記事の数を数えてみると、一二〇件の記事がありました。一方、全国の朝日新聞に載った同日の記事は約九〇〇件でした（これはこのあと触れるG-Searchで調べました）。それほどの違いがあります。

したがって、新聞を情報源として調査に活用する場合、自分が購読している新聞を見るだけではまったく足りませんし、なによりもったいないのです。

そこで活躍するのが新聞記事データベースです。新聞記事データベースには、うれしいこと

図 2-9　G-Search で新聞記事を調べる

に、朝日新聞なら朝日新聞のさまざまなバージョンの記事がほぼすべて収録されています。通常、東京で読んでいる朝日新聞で鹿児島の小さな地域で起きている出来事を読むことはできませんが、記事データベース上の朝日新聞なら、読むことができるのです。さらに、自分が購読している新聞以外の多くの新聞社の新聞も調べることができます。

新聞記事データベースには、各新聞社が提供しているものなどいろいろありますが、おすすめしたいのはG-Search (https://db.g-search.or.jp/) です。

G-Search は、企業情報、新聞情報、人物情報などのデータベースを提供している民間のサービスですが、そのなかの新聞記事データベース(「新聞・雑誌記事横断検索」)が、ここで使うものです(図2-9)。G-Search の新聞記事データベースは、朝日新聞、読売新聞、毎日新聞、産経新聞という全国紙のほか、共同通信などの通信社、北海道新聞、東奥日報(青森)から南日本新聞(鹿児島)、琉球新報、沖縄タイムスまでの地方紙、さらに、日刊工業新聞、電気新聞、日本農業新聞といった専門紙、それにスポーツ紙、政党紙（公明新聞、しんぶん赤旗）、ビジネス雑誌など、合計約一五〇紙・誌が含まれている、巨大なデータベースです。

料金は、月会費三〇〇円＋データベース使用料（従量制）です。記事の見出し一件五〜一〇円、記事本文一件一〇〇〜二〇〇円となっています（新聞社によって料金が違います）。たいていは文字だけの記事になりますが、新聞によっては紙面通りの記事をPDFで見ることもできます。

紙の新聞が一部一五〇円程度で、そのなかに一〇〇件ほどの記事があることを考えると、記事一件で一〇〇〜二〇〇円というのは少し高い気もしますが、しかし、これだけのデータベースのなかから簡単に選べて、すぐさま記事が読めるということを考えると、このくらいのお金を出す価値はあるかもしれません。

公立図書館（都道府県立図書館、市区町村立図書館）や大学図書館のなかには、こうした新聞記事データベースを利用者が使えるようにしているところもありますので、それを利用するのも手だろうと思います。東京ならば、都立中央図書館を始め、多くの区立図書館、市立図書館で、朝日、毎日、読売、日経などの記事データベース（朝日新聞「聞蔵」、毎日新聞「毎索」、読売新聞「ヨミダス歴史館」、日本経済新聞「日経テレコン」）が使えます。東京都立図書館「都内公立図書館インターネット等サービス状況」にその一覧があります。

ちなみに新聞記事データベースは、新聞社によって何年の記事から載っているかが違います。G-Search の記事のうち、朝日新聞は一九八四年から、読売新聞が一九八六年から、毎日新聞が一九八七年から、一方、地方紙は一九九〇年代後半以降のものが多いようです。

じつは G-Search には含まれていませんが、朝日、毎日、読売といった新聞は、明治から現在までの新聞記事のデータベースを完備させています（先の「聞蔵」、「毎索」、「ヨミダス歴史館」）。これらは、公立図書館や大学図書館でアクセスできるところもありますので、そうした古い時代の新聞記事が必要な場合は、それらに当たってみてください。

地方紙の魅力

新聞は全国紙だけではもちろんありません。各地にはたくさんの新聞があります。複数の県をカバーしているブロック紙、各都道府県全体をカバーしている県紙、さらにもっと小さなエリアをカバーしている新聞もたくさんあります。それらを合わせると、全国で二〇〇紙を超えます。

そうした地方紙は、全国的な記事については共同通信など通信社の記事を使っていることが多く、一方、その地方の記事は自社の記者が書いています。各地域の情報なら、全国紙よりこうした地方紙のほうが圧倒的に多く掲載されています。

主要な地方紙は、さきほどのG-Searchに含まれています。一方、そうしたデータベースで記事を残していない新聞も、とくに小さい新聞社では少なくありません。しかし、そうした新聞も、各県立図書館や市区町村立図書館にバックナンバーが保存されていることが多いので、そこで調べられます。

一部の公立図書館や大学図書館では、古い地方紙について、マイクロフィルムにして保存していることもあります。国会図書館にも、すべてではありませんが、その多くが保存されており、閲覧できます。マイクロフィルムは、図書館に備え付けられているマイクロフィルムリーダーというもので読みます。

業界紙が役に立つ

業界紙というものを手に取ったことがあるでしょうか。

業界紙とは、たとえば、『日刊木材新聞』、『日本外食新聞』、『日本文具新聞』、『住宅産業新聞』、『香料産業新聞』、『みなと新聞』、『環境新聞』といったものです。「新聞」という名がついていても日刊とは限らず、たとえば『住宅産業新聞』は週一回発行です。これらの業界紙

（専門紙とも言います）は、一般に価格が高く、個人で購入するのはむずかしいものが多いのが特徴です。先に紹介したG-Searchでも業界紙の一部は調べられますが、それはこの世にあまたある業界紙のごく一部です。

しかし、どこかで閲覧できれば、こうした業界紙は一次情報が多く、非常に貴重です。

『雑誌・新聞総かたろぐ』（メディア・リサーチ・センター）にはそうした業界紙の一覧が載っています。『雑誌・新聞総かたろぐ』は、業界紙だけでなく、政府刊行物、学会誌、一般紙など、日本で発行されている雑誌や新聞を約二万タイトル網羅しており、それぞれの雑誌・新聞の発行元や連絡先、それにどういう内容が主に扱われているのかが記載されている便利な本です（残念ながら二〇一九年版をもって休刊となりましたが、既刊のもので当面十分使えます）。大きめの図書館であれば、参考図書コーナーによく置いてあります。吉井潤著『仕事に役立つ専門紙・業界紙』（青弓社、二〇一七年）も、業界紙のリストが載っていて便利です。

こうした業界紙の現物を見るのはなかなかむずかしいですが、公立図書館では、新宿区立角《つの》筈《はず》図書館が、数多くの業界紙を所蔵しています（ホームページにそのリストがあります）。また、国会図書館にも多くの業界紙が所蔵されています。専門図書館にも置いてある場合があります。

5　統計を調べる

統計の探し方

ところで、誰かが書いたレポートや記事・論文を見ると、そこには必ずといっていいくらい、表やグラフがあります。こうした表やグラフには、大きく二通りあります。一つは、書いた人が自分で集めたデータを表やグラフにしたもの。もう一つは、どこからか調べてきたデータを表やグラフにしたものです。多いのは後者です。では、それらはどこから調べてきたものなのでしょう。

圧倒的に多いのが、いわゆる統計書です。

たとえば日本人のサプリメント摂取について書かれたある論文を読んでいると、表があり、世帯あたりの年間サプリメント消費額について、二〇〇〇年以降どう推移したかが示されていました。そして、表の注には、「総務省『家計調査年報』各年版より」と書かれています。これはつまり、この表の数字が『家計調査年報』というものから採ってきたものだということがわかります。『家計調査年報』は、総務省が毎年公表している統計です。

私たちにとっての統計

統計とは、どういう意味があるでしょうか。

統計には、私たちの認識を深めたり、あるいは私たちの認識をチェックしたりする機能があります。たとえば「交通事故は増えているのか、減っているのか？」というのは、統計を見れば一発でわかります。反対に、統計を見ずに、印象で交通事故は増えているとか減っているとか考えても意味がありません。統計の数字は、私たちの認識の根拠になります。

しかし、数字が大事だからと、やみくもに数字を拾ってきても意味はありません。数字そのものは、直接には何も語りません。その数字にどういう意味をもたせるかは、それを読む人の判断です。交通事故が昨年比で一％増えているとして、それを「増えた」と考えるのか、「それほど増えていない」と考えるのかは、数字だけでは決められません。

一方、数字は嫌いだ、数字は本当のことを表さないと言って、数字を拾ってこないのでは、説得力のある議論はできません。

統計は、私たちの認識が正しいかどうかを数字の面からチェックするのに大いに使えます。統計は、私たちの主張や行動に根拠を与えます。もちろんその使い方には注意が必要で、何度も言いますが、数字の解釈は多様に成り立つことが多く、自分の都合のいいように数字を利用しようとすることは、かえって説得力を欠くことになります。

政府統計の読み方

統計の代表的なものは、政府が出しているさまざまな統計(政府統計)です。農林水産省が出している『農林業センサス』、厚生労働省が出している『人口動態統計』、総務省の『就業構造基本調査』などなど、各省庁が出している統計類は膨大な数に上ります。これに地方自治体や政府関係機関が出しているものを加えると、さらに多くなります。ちなみに政府統計は、『○○調査』という名前のものが多いのが特徴でもあります。「調査」という名称ですが、統計書です。長年とられている伝統的な統計もあれば、比較的最近始まった統計、あるいは単発で行われた調査結果の統計もあります。

こうした統計は、冊子の形で売られていたり、図書館に所蔵されていたりします。しかし今日、それらはほぼすべてネット上にデータとして置かれており、それを利用するのが適切です。ただし、古い統計の一部はネット上に載っていないものがあり、それらについては、各省庁の図書室や大学図書館、公立図書館などで調べることになります。

いずれにせよ、政府統計は今日ネット上で調べるのが基本で、「政府統計の総合窓口 e-Stat」(https://www.e-stat.go.jp/)からたどって探します(図2–10)。各省庁も統計のページをもっていますが、そのほぼすべては e-Stat 経由で調べられます。

図2–10　e-Stat トップページ

e-Stat の使い方は、主に二通りあります。

一つは、どの省庁が出したどんな統計を探したいのかがだいたいわかっていれば、それからたどるというやり方です。人口や出生数にかかわる統計が調べたくて、そういう統計は厚生労働省が出していることを何となく知っていれば、「統計データを探す」の「組織」をクリックして、そのなかから「厚生労働省」を選びます。すると厚生労働省が出している統計のリストが出てきます。探すと、『人口動態調査』というのがあって、自分が探したい数値はこの統計にあるだろうと思い、見てみます。同じことは、「組織」の代わりに「分野」を選び、「人口・世帯」分野から探すことでもできます。

もう一つの使い方は、どういう省庁なのか、どういう統計書なのか見当がつきにくいときで、この場合は、「キーワード検索」を使います。

たとえば「マグロ」に関する統計を調べたければ、「マグロ」という言葉を入れて検索します。すると、あまりにたくさんの統計が出てきますので、画面左の「政府統計名で絞込み」で統計名の一覧を出します。『家計調査』、『農林水産物輸出入統計』、『漁業センサス』、『海面漁業生産統計調査』、『小売物価統計調査』などの統計がヒットしますので、そのなかから自分が知りたいマグロについての数字がどの統計に含まれていそうか見当をつけてそれを見てみます。マグロの家庭あたり消費量なら『家計調査』、マグロの漁獲量なら『海面漁業生産統計調査』だということになるでしょう。

今度は「チーズ」という言葉で検索してみましょう。すると、『チーズの需給表』が一件だけヒットします。しかし、この『チーズの需給表』を見てみると、たった一ページの簡単な表があるだけで、たとえば都道府県別の生産量などは出ていません。チーズについて書かれた統計は、ほかにもたくさんあるはずです。

なぜ「チーズ」で検索して『チーズの需給表』しかヒットしなかったのかというと、これはe-Statのキーワード検索の仕様によります。e-Statのキーワード検索では、検索した言葉(この場合だと「チーズ」)がその統計名のなかにずばりある場合、その統計のみがヒットする仕様に

図 2-11　e-Stat でチーズに関する統計を調べる

なっています。また、各統計にある「調査の概要」の説明のなかにその言葉がある場合にも、その統計がヒットする仕様になっています。

そうではなくて、統計の表のなかのどこかに「チーズ」という言葉があるものをすべて検索したい場合は、キーワード検索したあとの画面で、検索枠の左にある「政府統計」を「データセット」に変えてもう一度検索します。そうすると、その言葉を含む幅広い統計が出てきます。

そこで先ほどの「マグロ」同様、画面左の「政府統計名で絞込み」で統計名の一覧を出すと、さまざまな統計があることがわかります。そこから自分が知りたいデータが載っている統計を探すことになります。図2–11では、「チーズ」を含む多くの統計から『牛乳乳製品統計調査』を選び、その各年版を表示させています。

e-Stat を使ってみる

実際に e-Stat を使って調べてみましょう。

【練習問題4】

日本における独居老人(一人暮らし高齢者)は何人いるでしょうか。

一人暮らしの老人の数はますます増えており、誰が見守るのか、孤立していないか、買い物は大丈夫か、医療や福祉へのアクセスは十分かなど、困難を抱える人も少なくありません。しかし、そもそも独居老人は日本にどのくらいいるのでしょうか。

e-Stat のキーワード検索で調べてみようと、「独居老人」で検索します。すると、「データセット一覧」として、たくさん出てきます。「政府統計名で絞込み」で政府統計名を出してみると、『労働力調査』など四つの統計がヒットしましたが、タイトルから言って、独居老人そのものの数字が載っている統計ではなさそうです。実際にそれぞれを見てみましたが、やはり該当する数字はなさそうです。「一人暮らし高齢者」というキーワードで検索し直してみましたが、今度は何もヒットしません。

はたと困ってしまいましたが、そういえば、こういうのは国勢調査で調べているのではないか、と思い当たります。国勢調査はそれぞれの世帯に何人住んでいて、というのを調べていますから、独居老人の数も国勢調査の結果を見ればわかるのではないか、と考えました。

そこでトップページに戻り、「分野」から、「人口・世帯」分野を選ぶと、すぐに『国勢調査』がありました。その国勢調査のページに行くと、大正九(一九二〇)年の国勢調査から最近の国勢調査まであります。

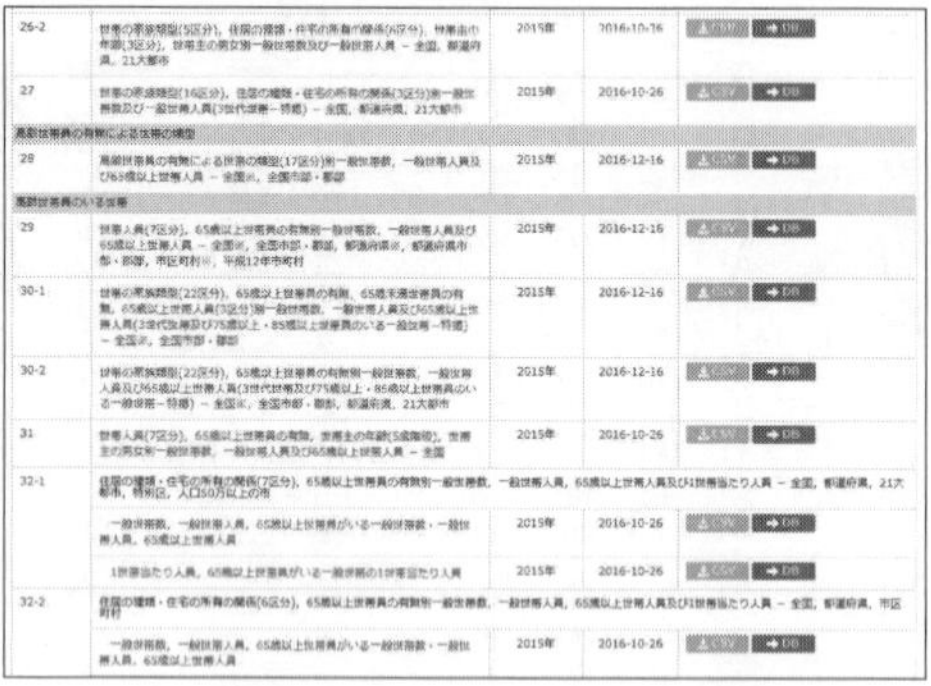

26-2	世帯の家族類型(5区分)，住居の種類・住宅の所有の関係(6区分)，世帯主の年齢(3区分)，世帯主の男女別一般世帯数及び一般世帯人員 － 全国，都道府県，21大都市	2015年	2016-10-26	DB
27	世帯の家族類型(16区分)，住居の種類・住宅の所有の関係(3区分)別一般世帯数及び一般世帯人員(3世代世帯－特掲) － 全国，都道府県，21大都市	2015年	2016-10-26	DB
高齢世帯員の有無による世帯の類型				
28	高齢世帯員の有無による世帯の類型(17区分)別一般世帯数，一般世帯人員及び65歳以上世帯人員 － 全国※，全国市部・郡部	2015年	2016-12-16	DB
高齢世帯員のいる世帯				
29	世帯人員(7区分)，65歳以上世帯員の有無別一般世帯数，一般世帯人員及び65歳以上世帯人員 － 全国※，全国市部・郡部，都道府県※，都道府県市部・郡部，市区町村※，平成12年市町村	2015年	2016-12-16	DB
30-1	世帯の家族類型(22区分)，65歳以上世帯員の有無，65歳未満世帯員の有無，65歳以上世帯人員(3区分)別一般世帯数，一般世帯人員及び65歳以上世帯人員(3世代世帯及び75歳以上・85歳以上世帯員のいる一般世帯－特掲) － 全国※，全国市部・郡部	2015年	2016-12-16	DB
30-2	世帯の家族類型(22区分)，65歳以上世帯員の有無別一般世帯数，一般世帯人員及び65歳以上世帯人員(3世代世帯及び75歳以上・85歳以上世帯員のいる一般世帯－特掲) － 全国※，全国市部・郡部，都道府県，21大都市	2015年	2016-12-16	DB
31	世帯人員(7区分)，65歳以上世帯員の有無，世帯主の年齢(5歳階級)，世帯主の男女別一般世帯数，一般世帯人員及び65歳以上世帯人員 － 全国	2015年	2016-10-26	DB
32-1	住居の種類・住宅の所有の関係(7区分)，65歳以上世帯員の有無別一般世帯数，一般世帯人員，65歳以上世帯人員及び1世帯当たり人員 － 全国，都道府県，21大都市，特別区，人口50万以上の市			
	一般世帯数，一般世帯人員，65歳以上世帯員がいる一般世帯数・一般世帯人員，65歳以上世帯人員	2015年	2016-10-26	DB
	1世帯当たり人員，65歳以上世帯員がいる一般世帯の1世帯当たり人員	2015年	2016-10-26	DB
32-2	住居の種類・住宅の所有の関係(6区分)，65歳以上世帯員の有無別一般世帯数，一般世帯人員，65歳以上世帯人員及び1世帯当たり人員 － 全国，都道府県，市区町村			
	一般世帯数，一般世帯人員，65歳以上世帯員がいる一般世帯数・一般世帯人員，65歳以上世帯人員	2015年	2016-10-26	DB

図 2-12　e-Stat 平成 27(2015)年国勢調査の表一覧

最新の平成二七(二〇一五)年の国勢調査を見てみましょう(図2-12)。そのなかのファイルのリストを見ると、「人口等基本集計(男女・年齢・配偶関係、世帯の構成、住居の状態など)」

というのが探しているものではないかと思われます。その「人口等基本集計」の「全国結果」のページを見ると、さらにたくさんの項目が出ていて、それぞれにエクセルの表(CSVファイル)があるようです。

たくさんの項目を見ていくと「高齢世帯員のいる世帯」という大項目があり、そのなかにまたたくさんの項目が並んでいます。総括的な表が載っていそうな、いちばん上の第二九表「世帯人員(七区分)、六五歳以上世帯員の有無別一般世帯数、一般世帯人員及び六五歳以上世帯人員——全国、全国市部・郡部、都道府県、都道府県市部・郡部、市区町村、平成一二年市町村」というものを選んでみましょう。細かい分類の表を多数つくっているので、一つひとつがこんな長い名前の表になっています。

データ形式として「CSV」(エクセルファイル)と「DB」(データベース)の二つがあるので、ここでは「CSV」を選んでダウンロードし、エクセルで表示させてみましょう。すると、そこに「世帯人員」ごとの世帯数が全国および各県、各市町村ごとに出ています。その膨大な数値のなかから「六五歳以上世帯員がいる世帯」で「世帯人員が一人」、つまりは六五歳以上の人が一人で住んでいる世帯の「全国」の数字を見ると、五九二万七六八六世帯(人)ということがわかります。これがつまり「独居老人」の数ということになります。

ちなみに同じ表で見ると、総世帯数が五三三三万一七九七、うち「六五歳以上世帯員がいる世帯」が二一七一万三三〇八世帯だとわかりますので、計算すると、独居老人世帯は全世帯数の一一・一％、「六五歳以上世帯員がいる世帯」全体の二七・三％に当たることになります。

もちろん統計上六〇〇万近い「一人暮らし高齢者」がいると言っても、すぐ隣の家に子ども夫婦が住んでいるが世帯は別、というのも含まれますから、「独居老人」という言葉で私たちが想像するような場合の数と、この統計上の数字は少しずれていることが予想されます。さらに、ここで言う「高齢者」は政府の定義に従って「六五歳以上」を指しています。六三歳の一人暮らしは入っていませんし、反対に、バリバリ働いている一人暮らしの六八歳の人は入っています。

統計を見るときには、このように、私たちが求めている数字と統計上の数字が一致しているかどうか、などを考えながら見る必要があります。数字を見つけてすぐに飛びつくのは避けなければなりません。

ちなみに、さきほどの「ＣＳＶ」でなく「ＤＢ」を選ぶと、画面には何も数字が出てきません。「ＣＳＶ」あるいは「EXCEL」があらかじめ作られた表を出してくれるのに対し、データベースは、まだ表になっていない生データを出してくれるので、そこから画面に何を選んで表示するのかを選択してやらなければなりません。若干高度になるので、通常は「CSV」、「EXCEL」を選択するのがよいでしょう。しかし、データベースを選ぶと、自分でいろいろ加工しながら統計を見ることができ、それはそれでたいへん便利ですので、一度挑戦してみてください。

e-Statを使って、もう一つ練習問題を解いてみましょう。

【練習問題5】

日本全体で空き家は何戸あるでしょうか。

都市部でも農村部でも、年々空き家が増加しています。適切な管理が行われていない空き家が、防災上も景観上も地域社会の生活環境に悪い影響を及ぼしつつあり、社会問題化しています。あるいは逆に、そうした空き家を積極的にまちづくりに活用しようという動きも各地で出ています。では、その「空き家」は、日本全体でどのくらいあるのだろう、というのがこの練習問題です。

どういう統計に載っているのかわからないので、まずはe-Statでキーワード検索することにします。「空き家」、「空家」の両方の表記があると考え、「空き家　空家」で検索しました。

するとヒットした二つの統計書のなかに、ずばり『空家実態調査』というものがありました。これだ、と思い、中身を見てみます。しかし、どうも日本全体の空き家総数という数字はなさそうです。どういうことだろう、ともう一度この『空家実態調査』の説明を見てみると、この調査は、無作為に抽出された一万戸ほどの空き家について、その所有形態や管理状況などを質問紙によって詳しく調べたものだということがわかりました。つまり、日本全体の空き家総数を調べたものではないということです。

では、もう一つヒットした『住宅・土地統計調査』のほうはどうでしょうか。これは、総務省統計局が五年に一度行っている調査のようで、最新の統計は平成三〇(二〇一八)年のものです。『住宅・土地統計調査』の「ファイル」をクリックし、一覧の名から「主要統計表」をクリックすると、多くの表の一覧が出てきます。その中に第一四表「空き家の種類(五区分)、腐朽・破損の有無(二区分)、建て方(四区分)、構造(五区分)別空き家数―全国」というものがありました。これだろう、と考えます。「EXCEL」をクリックしてダウンロードし、エクセルで表示します(表2-1)。

この表によると、全国の空き家総数は八四八万八六〇〇、つまり約八五〇万戸。そんなにあ

表 2-1　平成 30(2018)年住宅・土地統計調査における「空き家」戸数

	総数	二次的住宅 総数	別荘	その他	賃貸用の住宅	売却用の住宅	その他の住宅
総数	8,488,600	381,000	260,800	120,100	4,327,200	293,200	3,487,200
一戸建	3,183,800	267,200	198,400	68,800	227,300	170,700	2,518,500
長屋建	496,700	5,300	800	4,500	318,300	7,800	165,300
共同住宅	4,775,200	105,700	61,500	44,300	3,775,800	114,100	779,600
その他	32,800	2,700	100	2,500	5,700	700	23,700

出典：平成 30 年住宅・土地統計調査．住宅数概数集計の第 14 表「空き家の種類，腐朽・破損の有無，建て方，構造別空き家数―全国」を簡略化

るのか、と思います。しかし、この八五〇万戸のうち、一戸建ては三一八万三八〇〇、残りは「長屋建」や共同住宅（つまり、アパートやマンション）や「その他」だということがわかります。

私たちが通常「空き家」という場合イメージするのは一戸建ての空き家で、マンションの空き家は入らないことが多いのではないでしょうか。とくに今「空き家問題」として語られるときの「空き家」は、ほとんどが一戸建てのものを指します。マンションやアパートの「空き家」は、借り手や買い手を待っている状態のものが多いことが予想され、「空き家問題」として語られるときの「空き家」には該当しないでしょう。

と思って、同じ表をよく見てみると、そうした分類もされていることがわかります。「二次的住宅（別荘など）」、「賃貸用の住宅」、「売却用の住宅」、「その他の住宅」という分類で、

この最後の「その他の住宅」が、賃貸用でも買い手待ちでもない空き家を指しているようです。

一戸建ての空き家のうちこの「その他の住宅」は二五一万八五〇〇戸です。私たちが「空き家問題」として語るときの「空き家」にいちばん近い数字はこの「二五一万八五〇〇戸」でしょう。

全国の空き家は何戸か、という問題を立てて統計を見たとき、その「空き家」がどの範囲を指すかによって、統計のなかのどの数字をピックアップすべきなのかが違ってきます。これは、「空き家」に限らず、多くの統計について注意して見なければならない点です。

さて、これで「空き家」の統計はわかった、ではありません。もう一つ注意しなければならない点があります。

もう一度これまであげた数字を見てください。全国の空き家総数が八四八万八六〇〇、うち一戸建てが三一八万三八〇〇、うち「その他の住宅」が二五一万八五〇〇戸、そして他の数字もすべて、なぜか最後の二ケタがゼロになっていることがわかります。

これはどういうことでしょうか。四捨五入したのでしょうか？　それを確認するために、そもそもこの『住宅・土地統計調査』がどういう方法で統計をとっているのか、どういう集計をしているのか、を確認してみましょう。

e-Statの『平成三〇年　住宅・土地統計調査』の最初のページに戻ります。

その冒頭にある「利用上の注意、用語の解説、集計事項一覧等」をクリックすると、「調査の概要」という項目があるので、このPDFを見てみます。すると、この『住宅・土地統計調査』が、「国勢調査調査区の中から全国平均約五分の一の調査区を抽出し、これらの調査区において（中略）設定した単位区のうち、約二二万単位区について調査した」と書かれています。つまり『住宅・土地統計調査』は、国勢調査のような全数調査ではなく、二重にサンプリングをして調査し、そこから全体の数字を推計したものであることがわかります。推計値なので、一の位まで数字を出してもあまり意味がなく、一〇の位以下は四捨五入してゼロとなっているのです。

したがって、当然誤差があります。『住宅・土地統計調査』の別の箇所には、誤差についての細かい記述があります。推計値の大きさによって誤差が違うこと、このくらいの大きさの推計値ならばこのくらいの誤差があるということが細かく記述されています。

ちなみに一戸建ての空き家（のうち、先ほどの「その他の住宅」）の総数二五一万八五〇〇くらいの数字だと、〇・八％の誤差、つまり約二万戸の誤差になるようです。

このように、統計を見るときには、（1）自分が調べたいと思ったカテゴリーと、統計上のカテゴリーとがどう一致するのか、しないのか、そして、(2)その統計は、誰がどんな手法で(全数調査なのかサンプル調査なのかなど)とってきたものなのか、に注意する必要があります。

統計には必ず、その統計をどういう手法で調査したのかについて書かれた部分があります。『住宅・土地統計調査』だと「調査の概要」という部分がそれに当たりますが、各統計に書かれているそうした調査方法の部分を必ず見てください。

政府統計以外の統計

政府が出している統計は、日本の統計の最も基本的なものです。しかし、統計にはまだまださまざまなものがあります。

まず、地方自治体が出している統計があります。自治体の統計の多くは、政府統計と連動していますが、自治体が独自にとっている統計もあります。自治体の統計は、それぞれの自治体のネットサイト、あるいは自治体の情報コーナーのようなところ、また、公立図書館(その自治体の図書館か都道府県立図書館)で見ることができます。なかなか見つからない場合は、直接自治体を訪れて、そうした統計がないか、尋ねてみる必要があります。

世界的な統計となると、国連をはじめとするさまざまな国際機関が出しているものがあります。たとえば国連食糧農業機関（ＦＡＯ）は、その統計サイト（http://www.fao.org/economic/ess/）に、農業生産などについての詳細な統計を載せています。

こうした公的な統計以外にも、業界団体、民間研究機関が出している統計などがあります。

6　資料を探す

図書館にない資料とは

ところで、活字になったものの多くが図書館や本屋に置いてあると思うのは間違いです。本や雑誌という形をとらない活字資料はたくさんあります。たとえば、会社のなかを考えてみましょう。会社のなかでは数多くの文字資料を作成します。しかし、それらを「本」とか「雑誌」とかいった形にすることはまずありません。ほとんどは、Ａ４の紙何枚かをホチキスで綴じたものだったり、よくて簡易製本したものだったりします。

日本中、世界中のさまざまな機関、グループ、個人が、こうした不定形な「文書」「資料」を大量に作成しています。職場内の資料だったり、グループ内の資料だったり、個人用にまとめたものだったりするこうした「文書」「資料」が、じつはたいへん貴重な情報源である場合が少なくありません。

行政の資料

その代表が行政資料です。

行政は、その施策の立案・実行のあらゆる過程で、さまざまな資料を作成します。行政は、いい意味でも悪い意味でも文書主義なので、かなりの精力を資料（文書）作成に注いでいます。また、直接施策に生かされるかどうかは別として、さまざまな情報収集も行政は行っています。

こうした行政資料の一部、とくに報告書などの形でまとめられているものについては、比較的容易に一般市民が見ることができます。行政情報コーナーのたぐいがある役所では、そこで閲覧できますし、ネットにＰＤＦで載せている行政も増えてきました。一度自分の町の役所について、そうしたところを見てみるのがいいでしょう。

しかし、ほとんどの行政資料は、市民の目に触れることなく、役所のなかに眠っています。これらは、行政へ聞き取り調査に行って、そうした資料の所在を尋ねて見せてもらうか、あるいは各自治体の情報公開条例に基づいて（国の機関なら情報公開法に基づいて）資料を請求するか、になります。行政によっては、行政文書をホームページから検索できるところも出てきました。

たとえば、政府が出した報告書や行政文書の一部は、「電子政府の総合窓口 e-Gov」(https://www.e-gov.go.jp/)で検索できるようになっています。

古い行政資料については、国立公文書館や各都道府県あるいは一部市町村の公文書館にもあります。

その他の文字資料

行政資料以外の資料は、さまざまなところに分散して存在しています。各組織ごと、各人ごとがそれぞれ保有していたり、あるいは廃棄されて存在すらつかめなかったり、というものがほとんどでしょう。

次の章「フィールドワークをする」でも触れますが、人に話を聞きに行く、ということは、そうした不定形な資料を探し出すことでもあります。

多くはありませんが、そうした資料がまとまって置いてあるところもあります。先に紹介した専門図書館や、行政などが設置した資料センターのようなところには、各団体(たとえば、業界団体やNPOなど)の資料が置かれてあったりします。

ネット上の情報

一方、ネット上の情報はどうでしょうか。これまでもネット上の情報を取り上げてきましたが、それはネット上のデータベース(文献のデータベースや新聞記事データベースなど)でした。それ以外の、通常Googleで検索して出てくるたぐいのネット情報はどうでしょうか。

簡単に言うと玉石混淆で、なかなかに使いづらいものです。データベースや紙媒体にはなくてネットにしかない貴重な情報もあります。一方、根拠のはっきりしない情報、ひいては嘘の情報もまたごまんとあります。

今日、ネット上の情報は広告とリンクしてつくられる場合が多いので、とにかくあやふやな情報でも、どこかから切り貼りしながら、適当に長く書かれている(見てもらうことによって広告収入につなげる)というものが、たいへん多く存在しています。

ウィキペディアはどうでしょうか。英語のウィキペディアについては信頼度が高いという研究がありますが、日本語のウィキペディアについて、その信頼度をちゃんと研究したものがなく、何とも言えません。しかし、ネット情報全体の平均よりは信頼度が高いと言えると思います。ウィキペディアの記述には注が付けられていますので、その注を見て、信頼性の高い資料を根拠に書かれているかどうかを見るのがよいでしょう。

ネット情報については、このように扱いがむずかしいのです。見る側に力があれば、この情報は信頼できる情報、この情報は信頼できない情報、と区別することができますが、そうでないと、それを峻別《しゅんべつ》するのは容易ではありません。

一つには記述の根拠が示されているかどうか、です。そしてその根拠が妥当なものかどうか、です。もう一つは、書いている組織や人が信頼できるかどうか、です。

ネット上の情報を扱うには、そうしたことを十分に踏まえる必要があります。

7 書かれていることは真実か

この章では、雑誌論文、本、新聞記事という「誰かが調べて書いたもの」を扱ってきました。統計もまた、誰かが調べて数字としてまとめたものです。これらは、わざわざ誰かが調べて要領よくまとめてくれたものですから、たいへん有益であるばかりか、自分で直接調べる手間を省いてくれるものです。ですから、まずはこうしたものがどこかにないか、八方手を尽くして探すことが調査の基本です。簡単に集められるものから、なかなか見つけられないものまでありますので、とにかくねばりづよく集めることが肝要です。

そして、集めたあとは、まずはざっと全体を眺めます。大量の文献、大量の情報にたじろぐことなく、全体にどんな情報があるのか、どういう知見があるのか、反対に、どのあたりの情報が欠けているのか、を見ます。そしてそのなかから、重要なものについては、一つひとつていねいに読み解きます。

しかしそのとき、書かれていることを全部鵜呑《うの》みにしてよいのでしょうか。書かれたものは、誰かがその人の視点で、かつ特定の方法で調べたものです。したがって、論文だろうが本だろうが、批判的に読むこと、つまりクリティカルリーディングが重要になってきます。

クリティカルリーディングの中心は、書かれたものの「信頼度」を意識するということです。信頼度はおもに、どういう方法で得られた情報なのか、何を根拠にそういう議論をしているのか、によってチェックします。根拠が十分に示されていない、調査方法が示されていないものは、信頼度がぐんと落ちると考えてよいでしょう。新聞記事を読むときには、ニュースソースは何なのか（警察発表なのか、記者の独自取材なのか、独自取材の場合誰に聞いた話なのか）に注目します。論文を読むときには、どういう研究方法でその結論が得られたのか、その方法でどこまで確実なことが言えそうか、を考えながら読みます。

誰かのチェックが入った情報なのかどうかも重要な要素です。新聞社ならたいてい校閲部のチェックが入りますし、「査読付き論文」ならば「査読」というチェックが入っています。統計の場合も、その統計がどういう方法で集計されたものかを必ずチェックしてください。先ほどの空き家の例で言うと、『住宅・土地統計調査』がサンプル調査であることを見逃すと、その数字の扱い方を間違いかねません。

論文や本、記事などは、私たちが知りたいことについてたいへん有用な情報の宝庫、知識の山です。しかし、文献を集めるだけで調査が終わることは、けっして多くありません。知りたいことが書かれていない、書かれているけれど足りない、というのが普通です。とすれば、自分の足で稼ぐしかありません。

次の章では、実際に見たり聞いたりする技法、つまりはフィールドワークの方法について考えてみましょう。

第3章　フィールドワークをする

1　なぜフィールドワークが必要か

知りたい情報は書かれていない

何かについて知りたいと思ったとき、まずは、誰かがそれについて調べていないだろうか、書いていないだろうか、と考えます。それを調べるのが、前の章で解説した文献・資料調査です。記事・論文、本、新聞記事、そして統計と形こそ違え、いずれも誰かが大事だと思って調べ、根拠を示しながら書いているものですから、たいへん有益なものです。さらには、筋立てて書いてくれていますので、物事の因果関係もよくわかります。

しかし、言ってしまえば、文献や資料に載っていることは、この世の現実の一部にすぎません。誰かが調べてくれている、と言っても、それはあくまでその人の視点で調べたものです。書かれている因果関係は、その人の視点と方法による分析です。それが自分が調べたいことと、ずばり一致するということは、なかなかありません。

知りたい情報は、なかなか書かれていないのです。

私たちは、一人ひとりが無数の知られざる「情報」をもっています。私が朝何を食べたか、私はどういう友人関係をもっているか、私は今の政治についてどう考えているか、私は地域社会のなかでどんな役割を果たしているか、私の職場ではどんな隠れたルールがあるか。どうでもよさそうな情報から大事な情報まで、私たち一人ひとりは、数え切れないほどの情報をもっています。しかし、そうした情報は、一部は自分しか知らないし、一部は身近な人しか知りません。それらの情報は、ほとんどどこにも「書いて」いませんし、誰かから調査を受けたこともありません。SNSに頻繁に文章を上げている人でさえ、実際に上げているのはもっている情報のごくごく一部でしょう。

調べる側からすれば、ある事象について調べたいと思った場合、それがすでにあらゆる角度からあらゆることについて書かれていることはまずありません。

世の中の情報の九九・九%は、書かれないまま、眠っています。

と考えれば、私たちのもつ「常識」は案外狭い情報や知識によるもので、ある意味、ほとんどが思い込みだとさえ言えるかもしれません。

自分たちの認識を問う

私たち一人ひとりの認識、たとえば今の世の中はもっとこうあるべきだとか、最近の社会はこんな傾向があるとかいった認識が、いったい何をもとにできあがっているのか、もう一度考えてみてもよいかもしれません。どの人の認識の形成プロセスも簡単ではないと思いますが、おそらく、家族、友人関係のなかでつちかわれた感覚、学校、メディア、その他からの情報、そういった案外限られたもののなかから形成されていると思ったほうがよいかもしれません。

自分の認識から外れるような情報に接したとき、私たちは「そんな話、聞いたことがない」と、無視したがる傾向にあります。しかし、それは、ただ「聞く」、「調べる」という作業をしていないために情報が入らなかっただけだと考えたほうがよいでしょう。テレビのニュースを見て、ネットを眺めているだけでさまざまなことがわかるなどということは、まずありえません。

○○問題をめぐって住民どうしが対立している、という報道に接し、実際に行ってみて、いろいろな人に詳しく聞いてみると、じつは「対立」ではなく「意見の相違」くらいで、しかも意見は二つにわかれているのではなく、三つにも四つにもわかれている、ということがわかったりします。そもそも「〇〇問題」というフレーム(枠組み)すらあやしい、ということも見えてきます。

このように、現場に出かけ、見て、話を聞くことで実際の姿に迫ろうとすること、それがフィールドワークです。

フィールドワーク、と一言で言っても、いろいろなものがあります。山のなかに入ってどんな植物が生えているか調べるのもフィールドワークですし、大都市の駅前で人の流れを観察するのもフィールドワークでしょう。一軒一軒訪ねて話を聞くというフィールドワークもありますし、企業や行政に対してインタビューを行うのもフィールドワークです。あるNPOの活動にしばらく参加させてもらって、なかから観察するのもフィールドワークですし、工場に入って一緒に働いてみるというのもフィールドワークです。

2　フィールドワークの多面的な意義

考え方の枠組みが壊れる

ところで、こうしたフィールドワークを経験した人の多くが実感することがあります。それは、フィールドワークをすることで、単に現場でデータを得るということ以上のものが得られる、という実感です。「現場がやはり大事だ」と経験者はよく言います。

単にデータを得るということ以上のものがある、とはどういうことでしょうか。

一つには、現場では、単にデータが得られるだけでなく、私たちがもっているフレーム（考え方の枠組み）そのものが壊れたり再構築されたりすることが多いということです。フレームは、おおまかな仮説と言ってもよいかもしれません。こういうことを知りたくて、現場に行く。こういうことを考えて、フィールドで調査する。すると、その「こういうこと」の妥当性がそこで揺らぐのです。これは人がとってきたデータだけを見たり、遠隔で調べたりしているときには生じにくい現象です。

現場に身を置いて、現場の雑多な「ものごと」に注意深く耳を傾けることで、私たちのなかにあった仮説、調査の前提として考えていたフレームが壊れていきます。

現場は、でこぼこしています。あらかじめ読んでいた文献の知識をたずさえて現場に行ってみると、文献に書かれているような単純なことではないことがわかります。そのでこぼこさに身を置くことによって、あらかじめもっていたフレームが壊れ、また、修正を余儀なくされます。

あらかじめつくっていた調査事項を修正し、フレームを修正し、さらに調査が続きます。調査のプロセスでは、フレームは何度も何度も修正する必要が出てきます。それがフィールドワークのおもしろさです。

とくに人びとにかかわる調査、社会にかかわる調査では、私たちがどんなフレームをもっていようとも、調べる対象である人びとも彼ら自身のフレームをもっています。私たちが社会を解釈しようとする前に、人びとも、社会を解釈しているのです。こちらの解釈と人びとの解釈がぶつかりあい、ひびきあうことで、新しい解釈が生まれます。このプロセスはとても大事で、フィールドワークなしの認識が信用できないのは、そうしたプロセスを経ていないからです。

学びの場としての機能

さらに、フィールドワークはそういう性質ゆえに、「学び」の場としての機能も強くもっています。

私たちは、知りたいことすべてについてフィールドワークをすることはできません。しかし、フィールドワークの経験によって、そうやって雑多な情報がうごめく現場の感覚、そこからフレームが壊れ再構築されていく感覚を身につけることができます。論文や記事を読む際にも、メディアの情報に接する際にも、そうしたフィールドワーク感覚が、それらを批判的に読む素地、立体的に読む素地になります。フィールドワークには、認識を深化させる練習場としての機能があると言えるでしょう。

文献調査では「○○と△△が原因で××になった」と書いてあっても、実際に現場に行ってみると、もう少し複雑であることがわかります。○○と△△だけが原因とも言えなさそうですし、完全に「××になった」とも言いきれないことがあるようです。しかし、そうしたことをいろいろ現場で調べ、考えて、分析してみると、結局のところは、つづめて言えば、「○○と△△が原因で××になった」という、文献の文言と同じ言い方にならざるをえないこともあります。それでも、文献でそう書かれていたのをただ表面的になぞって理解するのと、実際に現場でいろいろ感じて、聞いて、調べて、深く「そうだ」と理解するのとでは雲泥の差があります。

文字面《もじづら》の向こうにあるもの、表面的な情報の向こうにあるものを想像できるような感覚を身につける。認識のプロセスこそが重要であるという感覚を身につける。フィールドワークは、単にデータを得るだけでなく、そうした「姿勢」を身につける学びの場でもあります。

フィールドワークの技法は複合的

何か知りたいことがあるとき、それが起きている現場、その当事者・関係者たちがいる現場を訪れ、そこで調べるいとなみ全体が、フィールドワークです。

調べ方はいろいろでしょう。一人ひとりに話を聞く、集まってもらって話を聞く、人びとを観察する、場所を観察する、そこに参加させてもらいながら観察する、そこにしかない資料を集める、そこでしかとれないデータをとる。これらは、互いに結びついています。話を聞くなかで大事な資料のありかを教えてもらったり、観察するなかで少しまとまって話を聞いたりします。このように、いろいろな要素が複合的に合わさったものが、フィールドワークです。

ここでは、さまざまな要素がつまったフィールドワークを、聞き取り調査(インタビュー調査)を軸にしながら解説したいと思います。というのも、聞き取り調査は、フィールドワークの中心的な手法であると同時に、そこに観察や資料収集など、ほかの要素が付随していることが多いからです。

調査のプランを立ててみる

さて、ここで練習問題です。

【練習問題6】

「A市の農業は現在どういう問題をかかえているのか」ということを知りたいと思います。どういう調査をすればよいでしょうか。調査プランを立ててみましょう。

自分が住む町の農業について、関心はあるが、実際どういう状況なのか、よく知りません。米作が中心で、野菜や花の生産もあることくらいは知っていますが、それ以上のことはよく知りません。順調なのか、そうでないのか、農業者は減っているのか、後継者の問題はあるのか、農業生産物はどこへ行っているのか、町のスーパーにはどのくらい来ているのか。そんなことを知りたいと思いました。

何をどう調べればいいのでしょうか。前の章で文献の調べ方を学びました。まずはそれを使いましょう。「国会図書館サーチ」などを使ってA市の農業について、あるいは、参考になる他地域の農業の問題について、文献がないか調べます。地元の図書館や行政の資料室なども、もちろん調べます。市が出している農業統計も手に入り、農家戸数、農業生産などもある程度詳しくわかりました。新聞のデータベースで検索してみると、農家を取り上げた記事もいくつか見つかりました。

こうした文献・資料調査は、問題の概観をつかむにはたいへん重要なものです。「A市の農業の問題」と一口に言っても、さまざまあることが、うっすらとわかってきました。そのなかで、たとえば、「後継者問題」、つまり農業の跡を継ぐ人がいなくなっているという問題にあなたは関心をもちました。この問題については、文献・資料にも若干触れられていますが、それほど詳しくなく、一般的な話以上のことはわかりませんでした。

そうすると、聞き取り調査の出番です。

3　誰に聞くのか?

行政の人に聞く

聞き取り調査を始めようと思ったあなたが、いちばん最初に考えなければならないのは、この問題は誰に聞いたらいいのか、という問題です。さあ、A市の農業における後継者問題は、いったい誰に聞けばいいのでしょうか。

もっとも容易に思いつく相手は、行政の農政担当の人でしょうか。A市役所の農政担当の課に行って話を聞く、ということです。行政は情報の宝庫です。地域の情報を集めるというのは、行政の仕事の基礎的な部分です。その情報に基づいて施策を進めているのですから、豊富な情報をもっているはずです（それが整理されているか、とか、正確な情報か、といった問題はあるのですが）。

行政は、私たちの税金で成り立っており、行政職員はパブリック・サーバント（公共のしもべ）です。行政がもっている情報は「私たちのもの」ですから、堂々と聞きに行ってよいのです。もちろん行政職員も忙しい時期がありますから、そこのところは気を遣う必要があります。

話す側の「フレーム」を意識する

行政に話を聞きに行ったときに注意したい点は、行政職員が話してくれる情報がどの角度からの情報なのか、ということです。もちろん行政職員が話してくれる内容に嘘はないでしょう。しかし、その内容は、あなたが知りたかったことでしょうか。地域の農業の問題を知りたくて行政に聞きに行ったあなたは、満足する答えを得られたでしょうか。

行政が話してくれる「地域の農業の問題」は、あくまで、「行政から見た地域の農業の問題」です。それは、農家が感じている「地域の農業の問題」とは異なっているかもしれません。

これは、誰に聞く際にも考えておかなければならないことがらです。それぞれの立場の人にはその立場での「フレーム（考え方の枠組み）」があり、その「フレーム」に従って話してくれます。聞く側は、それを意識しながら聞く必要があります。同じ「農業問題」と言っても、行政から見た「農業問題」、農家から見た「農業問題」、消費者から見た「農業問題」、それぞれ違っています。農家でも直面している「農業問題」の中身は同じではなく、それぞれの農家によって違っているでしょう。

テーマのキーパーソンを探す

そういう意味では、いろいろな方面の人に聞いてみる、ということが大事になってきます。「地域の農業の問題」の場合、誰に聞くべきでしょうか。

すぐに思いつきそうな取材先として、たとえば農協や農家があります。しかし農協の誰に聞けばよいか、どの農家に聞けばよいか、という問題があります。行政職員への聞き取りのときにキーパーソンを紹介してもらう、というのも手でしょう。まずは農協の担当部署の人に話を聞いて、そこから農家の方へたどり着く、というのも手でしょう。

このあたりは決まったやり方があるわけではなく、ケース・バイ・ケースで試行錯誤していくしかありません。

しかし、いろいろと取材先を広げていくと、しだいにキーパーソンが誰なのかが見えてきます。あるいは、新聞記事データベースや文献資料からもキーパーソンが浮かび上がってきます。

「誰に聞くのか」ということは、調査の際の非常に大事なポイントになります。誰に聞くのかが調査の内容を決める、といっても過言ではありません。いろいろな人に聞くということは、それぞれの人の話を聞くと同時に、そこから「誰に聞くべきなのか」を探っていくプロセスでもあるのです。

自分の調査にぴったりくるキーパーソンを探し出すことは、調査の中心の一つになります。もちろんキーパーソンは一人ではないでしょうし、一人に絞ってしまうのは危険です。複数のキーパーソンを自分なりに浮かび上がらせ、その人たちを中心に集中的な聞き取りを進めてみましょう。

もちろん何を調査したいのかによって、これまで見てきたような「キーパーソン」を探すだけではないやり方も必要になってきます。

たとえば、ある地域における昔の生活の様子を聞きたいとしましょう。その場合、その地域に住んでいる何人もの高齢者に話を聞く必要があります。社会的な「キーパーソン」であるかどうかは、ここでは関係ありません。キーパーソンとは、客観的に存在しているものではなく、自分が調べたいことによって誰がキーパーソンかは変わってきます。調査をするということは、自分にとってのキーパーソンを浮かび上がらせていくプロセスであると言えるかもしれません。

ところで、聞き取りに行く場合、「つて」が必要だ、と信じている人がいます。もちろん「つて」があったほうがスムーズに行くこともあるでしょう。しかし、「つて」があるなしにこだわり、誰々の紹介があるまで聞き取りを保留にする、というのは、調査を遅らせるだけであまり意味のないことが多いものです。ケース・バイ・ケースではありますが、往々にして「つて」を探すより直接当たったほうが早いことが多い、と言っておきましょう。

何人に聞けばよいのか

さて、キーパーソンが何人かに絞られそうなときはよいのですが、広く関係者に聞く、あるいは広く住民に聞く、といった必要が出てきたとき、何人の人に聞けばよいのか、という問題が出てきます。

聞き取り調査の場合、たいていは、スノーボーリング方式（聞いた相手から紹介してもらったりしながら雪だるま式に対象者を増やしていく方法）で聞き取り相手を広げていきます。それだけでは男性ばかりとか年配者ばかりとかに偏《かたよ》ってしまうこともあるので、「男性ばかりに聞いたので女性にも聞こう」とか「若い人にも聞こう」とか属性の偏りがなくなるように工夫していきます。

何人に聞けば終わりになる、という決まりはありません。しかし何人にも聞いていくと、内容の重なりが出てくることが多くなります。もちろんまったく同じ話はないのですが、話のテーマやパターンに重複が出てきます。そうやって、話のパターンとしては出尽くされたようだ、つまり、あと一人増やしても新しい話はとくに出てこなさそうだ、となったときに聞き取り調査はいったん打ち止めにしてよいでしょう。調査の専門家たちは、こういう状態のことを「理論的飽和」と呼んでいます。

実際に調査するとき、こうした理論的飽和に達するまで聞き取り対象者を増やすことはなかなかむずかしいですが、新しい話が徐々に少なくなっていくのは実感できると思います。それを見て、自分がある程度納得できるところで聞き取りをやめる、ということでよいでしょう。

4　聞き取りの基本

相手に合わせたアプローチ

聞く相手へのアプローチのしかたは、状況によりさまざまです。しかし、どんなアプローチをとるにせよ、相手へ敬意を払うこと、こちらの調査の意図を伝えることなどは基本になります。どんな調査であってもなんらかの負担を相手にかけるのだということを十分に意識しながら、相手にとってどういうアプローチが受け入れやすいかを考えて接近します。

行政や会社への聞き取りならば、依頼状をつくるのがよいでしょう。依頼状には、こちらが何者であり、どういう意図でどういうことを知りたいのか、また、知ったことはどう扱うのかなどを、こちらの連絡先などとともに書きます。

相手に合わせたアプローチをしつつ、何とかお会いしてお話を聞くところまでたどりつきました。さあ、聞き取りです。

一～二時間が標準

筆者（宮内）は、人の話を聞く調査を三〇年以上やってきました。聞いた人の数は、数百人規模になります。その経験から言えることは、「聞く」ことは、おもしろいけれどむずかしい、むずかしいけれど奥が深い、ということです。何度やっても簡単でなく、一回一回が真剣勝負で、一回一回発見があります。つまらないインタビューは一つもありません。

一人一～二時間くらい聞く、というのが聞き取り調査の標準でしょう。一時間では十分な話が聞けないことが多く、二時間を超えるとお互い疲れてしまいます。したがって、一～二時間を標準とするのがよいと思います。二時間で聞ききれなかった場合は、また日を改めて聞くのがよいでしょう。

聞き取り調査の最初には、あらためてこちらが誰なのか、そして調査の意図が何なのかをはっきり伝えます。そのあと、できれば世間話的なところから始めるなどして、なるべくリラックスした雰囲気をつくりつつ、話を聞きます。

もっと具体的に

聞き取りの際の大事な点は、（1）具体的なことを聞く、（2）受容的に聞く、（3）フレキシブルに聞く、という三点です。

テレビなどではインタビュアーが「あなたにとって農業とは何ですか」みたいな、いかにも答えにくい質問をすることがありますが、こういう質問は、通常の聞き取り調査では御法度《ごはっと》です。聞き取りにおいては、なるべく具体的で答えやすい質問をします。

たとえば「農家と農協の関係」ということを知りたいと考えて農家に聞き取り調査を行うとき、ストレートに「農協とはどういう関係ですか」と聞くのではなく、もっと具体的なことを聞きます。「農協から資材をどの程度買っていますか」、「農協以外からどんな資材をどの程度買っていますか」、「生産物販売はどのくらい農協を通していますか」といったふうにです。いや、これでも聞き方としては大きすぎるかもしれません。「農協から資材をどの程度買っていますか」という質問だと「だいたいは農協から買っているねえ」というおおざっぱな答えしか返ってこないかもしれません。ですから、もっと資材（農機具、種苗《しゅびょう》、肥料、農薬）ごとに具体的に聞くべきでしょうし、今どの程度農協から買っているかだけでなく、過去どうだったか、それについてどう考えているか、など、もっと質問を細かくわけて聞くべきでしょう。「もっと具体的に、さらに細かく砕いて」をいつも考えながら話を聞くのがよいでしょう。

受容的に聞く

二つめの大事な点は、受容的に聞く、つまり相手の言うことを受け入れるということです。具体的に聞くことが大事だと言いましたが、これは質問を矢継《やつ》ぎ早《ばや》に浴びせることではありません。聞き取りはコミュニケーションです。尋問《じんもん》ではありません。こちらから質問を浴びせて答えを引き出す、というのではなく、スムーズなコミュニケーションのなかで結果として詳しく聞いている、というくらいの感じがよい聞き取りです。

こちらのペースではなく、相手のペースに合わせること、こちらのフレームを押しつけるのではなく、相手のフレームで話をしてもらうことが大事です。そのためにも、まずはリラックスした雰囲気を作り出すことが必要です。世間話を交えてもよいでしょう。そして、相手の言ったことを否定しない、基本的にすべてを受容する、という姿勢が求められます。もちろんこちらのフレームをゼロにするわけにはいきませんので（そうすると何も質問することはないということになってしまいます）、現実には、こちらのフレームと相手のフレームをうまく融合させるような形になります。

フレキシブルに聞く

三つめの大事なことは、フレキシブルに聞く、ということです。

聞き取りに行くときには、当然あらかじめ準備をします。こういうことを聞きたいという「質問リスト」をつくっていきます。質問リストには、これだけはぜったい聞いておかなければ、というものから、余裕があればこれも聞いておこうというものまで、多様なものを入れておくとよいでしょう。あらかじめ文献・資料調査でわかったこともメモしておくとよいでしょう。文献で不明だった点についても、質問リストのなかに入れておきます。それらを、できれば一枚の紙にまとめておいて、聞くときに横に置いておくのがよいでしょう。

しかし、実際に話を聞くときには、その質問リストを上から順に聞いていく、という形にはなりませんし、すべきでもありません。

聞き取りでは、自然と話の流れができてきます。あるいは、「話の流れ」ができるような聞き取りにしなければなりません。ですから、聞き取り中は常に、どういう質問を次にするとその「流れ」をうまくスムーズに動かすことができるかを考えながら質問を発する必要があります。

さらに、話のなかで、想定していなかったような大事な話が出ることもしばしばです。それを逃してはなりません。事前の質問リストを重んじるあまり、せっかくその場で出た大事な話をスルーしてしまっては本末転倒です。事前の質問リストはあくまで事前のメモであって、じつは話を聞いているなかで、質問リストはふくらんでいくのです。想定していた質問リストとまったく違った方向に話がふくらんでいく可能性があるのが、聞き取り調査のよさです。

話を聞きながら、頭のなかで質問リストを柔軟に再構築し、話をどこに持っていこうかと考えながら聞いていく。聞き取り調査は、そのように、聞きながら考え、考えながら聞く、という芸当が求められます。

5　メモと録音

どんなメモ帳を使うか

ところで、人の話を聞くときに、メモは取ったほうがよいでしょうか。あるいは、録音したほうがよいでしょうか。

どんなインタビューかによりますが、原則としてメモは取るべきです。録音についても、できれば録《と》ったほうがよいでしょう。

録音の話はあとでしますが、メモについては、ではどんなメモ帳が必要でしょうか。一般的に、大きめのノートを使う人、小さなメモ帳を使う人、などさまざまです。テーブルに着いてインタビューするときなどは、そこに大きめのノートを広げてメモしたほうがやりやすいでしょう。小さなメモ帳だと、全体が見渡せません。大きめのノートだと、見通しがいいので、聞いた内容を振り返りながら次の質問をする、といったことが容易です。

話はたいていあちこちします。話がまた戻ったときに、そこのメモに書き足していく、という場合、空白がノートに残っていたほうがよいのです。また、こっちのメモとそっちのメモを矢印で結びつけるなど、少し図式化しながらのメモも有効なやり方です。そうした作業もメモ書きには含まれますので、ノートは横罫ではなく、白紙か方眼罫をおすすめします。横罫は箇条書きに向いていますが、調査のメモは単純な箇条書きにはなりません。

ノートの欠点は、持ち運びが不便だということです。野外でちょっと話を聞いて、などというときに大きなノートを広げてメモするのはいかにもやりにくいものです。こういうときは、ポケットに入るような小さなメモ帳が威力を発揮します。それでもあまり小さくないほうが結局は書きやすいものです。フィールドワークを仕事としている人がよく使うコクヨの「測量野帳SKETCH BOOK」は、ポケットに入るコンパクトさですが、見開きにすると比較的大きく使えるメモ帳です。

考えながらメモを取る

メモの取り方で大事なことは、(1)考えながらメモする、(2)あとで自分でわかるように書く、の二点です。

メモを取るという作業は、単に記録として残すためだけではありません。じつは、聞いているときのこちらの頭を整理するためでもあります。ただ漫然と聞いているのではなく、メモを取ることで、まだ聞くべき点がないかチェックできます。また、相手の話をふりかえりながら次の質問を考えることもできます。具体的な数字を聞いたりする場合には、とくにメモが大事で、メモに取りながら、その数字の意味合いをチェックしたり、メモの数字を見ながら、「あれ、こういう数字だと、こういうことになるな。だとすると、このことについて聞かないと」と考えます。

あるいは、相手の話をメモしながら、思いついた次の質問をメモする、ということも大事です。相手の話から疑問がわいて次に質問してみよう、と思っても、相手が別の話をしはじめると、その質問を忘れることもよくあります。忘れないようにと相手の話をさえぎるのは避けるべきです。さえぎるのではなく、相手には相手の調子で話してもらい、一段落したところで先ほどの質問をします。そのときに何の質問だったか忘れないために、メモしておくことが有用になってきます。

メモは、なるべく述語を入れて書くことをおすすめします。ただ「リスク」と単語を書くのではなく、「リスクがある」なのか、「リスクが危惧される」なのか、「リスクを回避したい」なのか、「リスクを回避できた」なのか、述語を含めてメモしておかないと、「リスク」だけでは、あとでどういう話だったか思い出すのがむずかしくなります。

簡単ではないですが、図式化しながら書くというのもおすすめです。聞いたことをそのまま聞いた順番で箇条書き的に書いていくのでなく、囲みをつけたり、矢印をつけたり、ノートを広く使って図式化しながらメモすると、自分の頭のなかも整理され、聞き取りそのものもスムーズに進みます。

メモをまとめる

さて、メモは、あとで「使う」ためのものです。

たいていのメモは、時間がたつと、いったい何を書いているのかわからなくなります。メモを書いた時点で、それが記録としてのちのちも使えるようなものになっている、という芸当の持ち主はめったにいません。つまり、メモはすぐに記録化してやらなければ意味がなくなる、ということです。

できればその日のうちに、少なくとも一週間以内くらいに、メモを見ながら、それをまとめていきます。箇条書きにしていってもいいですし、簡単な文章にしていってもかまいません。日記風に書く、というのもひとつの手です。

まとめるときには、できれば、相手が話したことだけでなく、それを聞いて考えたことも一緒にまとめるといいと思います。そのときに考えたことの記録は、あとあと大変役立ちます。あるいは、話を聞いていたときの状況、たとえば話を聞いた場所の様子や相手の表情なども一緒に書いておくとよいでしょう。ということは、つまり、話を聞くときのメモにすでにそういったことを書いておく、ということが大事なのです。

録音する

話を聞くときに録音をすべきかどうかは、誰に聞くのか、どんなことを聞くのかにもよりますが、一般的に言えば、したほうがよいと思います。

というのも、第一に、細かい話を必要としているとき、メモでは取りきれない、ということがよくあります。話の細かいところをすべてメモするというのはたいへんむずかしく、メモがうまい人でも、やはり録音はしたほうがよいでしょう。細かいところを正確にメモしようとすると、そこで話を止めてもらってメモをする必要が出てきたりしますが、それは話をしている側のリズムを狂わせかねません。メモしきれないところは諦めて、あとで録音を聞く、ということが必要になってきます。

第二に、相手の話し方、語り口そのものが重要だという聞き取りの場合、あるいは、話の細かいニュアンスが大事になってくるような場合には、録音する必要があります。「AはXです」なのか、「AはXだと私は思っていますけれどね」なのか、「AはまあどちらかといえばXなのだけれど」なのか。メモではただ「AはX」と書いてしまいそうですが、録音しておけば、そのニュアンスが残ります。そうしたニュアンスの違いがあとあと大事になってくることがあります。聞いているときにはそうとは気がつかなかったけれど、ということもあります。話し口調、あるいは方言をあとでそのまま使いたいときなども録音するしかありません。

第三に、メモでは省略してしまったようなことが、あとあと資料として貴重になってくる場合があります。録音は資料としても、やはり残しておくべきでしょう。

第四に、じつは録音にあってメモにない大事なものがあります。それは、自分が発する質問です。録音をよく聞くと、相手の答えは、自分の質問に誘導されている節《ふし》がある、ということがわかることもあります。このあたりは、メモだけではわかりにくいところです。インタビューは、話を聞く側と話をする側が共同で作っていくという側面があります。メモだけだと、相手が一人でそう話したふうになりますが、録音はその全体を記録しています。そのことが重要になってくる場面があります。

もっとも、録音をすると、録音しているからいいや、という安心感で、少しわからない言葉が出てきても確認作業を怠ったり、あるいはメモも怠ったり、また、あとでまとめるという作業をサボったりしがちです。必要がない場合は、録音をしないで極力メモでやってみる、というのも場合によっては賢明なやり方かもしれません。

なお、録音するときには、必ず一言「メモのために録音してよいですか」と相手の了承を得てください。必要ならば、「この録音を外部に漏らしたりネットに上げたりすることはありません」と付け加えるのもよいでしょう。

ICレコーダーやスマホの録音アプリ

録音は、ICレコーダーを使います。とくにUSBでPCに直接つなげられるタイプのものが便利です。スマホもICレコーダー替わりになります。MP3形式など汎用性《はんようせい》のある音声形式で録音できるアプリで、録音データを簡単にPCに移せるものをおすすめします。

ICレコーダーやスマホによる録音で重要なのは、相手の近くにそれを置くということです。そうしないと、あとで聞いたときに音が小さくて聞き取りにくくなります。多くのICレコーダーでは、マイクの指向性を「全指向性」か「単一指向性」かに切り替えることができますので、状況に応じてそれを適切に切り替えてください。相手のすぐそばに置くのであれば、「全指向性」で大丈夫です。ただしまわりがうるさく、相手の声を中心に拾いたいといった場合は、「単一指向性」にしてマイクを相手の方向にちゃんと向けてください。

多くのICレコーダーやスマホの録音アプリでは、録音した日付がそのままファイル名(たとえば「20190517.mp3」)になっていますので、それをそのままPCに移して管理します。日付だけではわかりにくいので、20190517_佐藤一郎.mp3などとインタビュー相手の名前も入れておくとあとでわかりやすいでしょう。

なお、録音データは個人情報が多く含まれていますので、扱いには十分注意してください。

文字起こし

録音したものは、必要に応じて、文字起こしをします。メモが不十分で、メモからだけでは十分な内容把握ができない場合、あるいは、詳細な内容を文字化して残しておきたいときなどは、文字起こしをする必要があります。文字起こしをするかどうかは、聞き取った内容をどう使うかによるのですが、もし手間さえいとわないなら、文字起こしはしたほうがよいでしょう。というのも、あとで聞いた内容についてふりかえりたいと思ったとき、メモだけではよくわかりませんし、録音をもう一度聞くのも手間です。しかし、文字起こしがあれば、短時間でふりかえることができます。このあたりはコストと便益《べんえき》の兼ね合いで、何でもかんでも文字起こしをするのは時間の無駄ですが、簡単な文字起こしでもしておくと、あとで役に立つことが多いということは言っておきましょう。

文字起こしには三種類あります。(1)音声データをまるごと起こす、(2)丸めながら(整理しながら)起こす、(3)内容のみを起こす(箇条書き)、の三種類です。

文字起こしの方法(1)音声データをまるごと起こす

(1)音声データをまるごと起こす、とは、文字通り、しゃべったままを文字に起こすもので、たとえば、以下のようなものです(以下は現実の調査の音声データをもとに改変を加えています)。

聞き手：（古い地図を見せながら）これいつごろの地図かわかりますか？
Aさん：そうですね、これは、戦後だね。二〇年代かな。
聞き手：そのころって。
Aさん：そう、戦後、満州とか、あの、樺太《からふと》の引き揚げだとか、そういう人が大勢入ってきたんだ。ということはね、昭和二〇年代は食料がたいへん厳しい時代で、それであの、家族のある方々はちょっとでもみんな畑を作りたいということでね、ここにね。だからあの、これはだいぶしばらく続くんだけど、戦後どんどん人が増えてきて、三〇年代は、だいたいあの、四〇年くらいまでの間は、どんどんどんどん増えてきて、一時二〇〇〇人くらいに。ここだけで。
聞き手：ここだけでですか。
Aさん：C町全体で、一万人とか、それくらいいたんだ。
聞き手：すごいですね。
Aさん：だから、当時、昭和三五年ごろかな、ちょうど私たちの子どもが小学生になったころ、学校の生徒がね、いちばん多い時代で。そのころは小学校で一〇〇人くらいいたんじゃないかな。小中合わせて二〇〇人くらいね。
聞き手：へえ～。

Aさん：うん。ここの小学校。今はもうなくなっちゃったけどね。そのくらいいた。だから、あの、それぐらいがピークに、今度高度成長時代に入っちゃったもんだから、やっぱりあの、ここから、この、転出していく人が増えていくね。

聞き手：あ、出て行っちゃう。

Aさん：出て行っちゃう。

しかし、しゃべったままを起こすというやり方は、作業に時間がかかるわりに、あとで使おうとすると使いにくいものです。もう一度ちゃんと読まないと意味が取りにくいですし、実際に話しているときはその場の雰囲気でわかるものですが、文字に起こすとわかりにくいのです。したがって、多くの場合は、次の(2)か(3)で十分です。

文字起こしの方法(2) 丸めながら起こす

(2)の丸めながら起こす、というのは、録音を聞いて、最初から、整理しながら起こすというやり方です。

聞きながら、不要なところは捨て、必要な部分だけピックアップして、ある程度わかる文章にしながら起こすやり方です。

さきほどの例だと、たとえば以下のように「丸め」ながら起こします。


この地図は、戦後だね。昭和二〇年代かな。

戦後、満州や樺太の引き揚げの人とかが大勢入ってきてね。昭和二〇年代は食料がたいへん厳しい時代で、家族のある人たちはみんなちょっとでも畑を作りたいというのでここに来た。

だから、戦後どんどん人が増えてきて、昭和三〇年代はどんどん増えてきて、ここだけで一時二〇〇〇人くらいになった。C町全体で一万人くらいいた。

だから当時、昭和三五年ごろ、ちょうど私たちの子どもが小学生になったころ、学校の生徒がいちばん多い時代で、ここの小学校に一〇〇人くらいいたんじゃないかな。小中学校合わせて二〇〇人くらいいた。小学校はもうなくなったけど。それくらいがピークで、高度成長時代に入ってからは、ここから転出していく人が増えていくね。


録音を聞きながらこのくらいに「丸め」つつ文字起こしすることは、それほどむずかしいものではありません。

この方法は、整理しながら起こす方法ですが、それでもなるべく話し手の話し方を尊重して、「話している形」で起こす方法です。

文字起こしの方法(3)内容のみを起こす

それをもっと簡略化し、話しぶりは省略して、内容重視で起こすやり方が、(3)内容のみを起こす(箇条書き)、です。

これは先の例だと、以下のようになります。

・この地図は昭和二〇年代か。
・戦後、満州や樺太の引き揚げの人が大勢入ってきた。
・当時は食料がたいへん厳しい時代。畑を作りたいということで、ここに入ってきた。
・戦後、とくに昭和三〇年代どんどん人が増え、ここだけで一時二〇〇〇人くらいに。C町全体で一万くらいいた。
・昭和三五年ごろ(子どもが小学生になったころ)、学校の生徒がいちばん多い時代。ここの小学校に一〇〇人くらい。小中合わせて二〇〇人。それがピークで、高度成長時代には転出者が増える。

筆者(宮内)自身は、たいていの場合、(3)を基本としつつ、そのなかに(2)の要素を少し入れた形で文字起こしをしています。というのも、箇条書きではニュアンスが残らないことが多く、この部分は話のニュアンスが大事だという場合、その部分のみ(2)の形式で起こします。

6 聞いた話は正しいのか?

一次情報vs二次情報

ところで、聞き取りという方法には、いくつか考えなければいけない点があります。大事な点は、「聞いた話は正しいか?」ということです。

誤解のないように言っておくと、これは相手が嘘を言っているかどうかという問題ではありません。では、どういう問題なのでしょうか。

人は、自分が確実に知っている情報も、それほど確かではない情報もごっちゃにして話します。自分の目で確かめた話も、人から聞いた話も、区別なく話します。「これは私自身が見たから確実な話だけれど」、「これは誰々からの情報だから不確かだけれど、あの人はかなり確実な話しかしない人だから、わりあい信用できる情報だけど」といった注釈をしながら話してくれる人はいないでしょう。

ですから、私たちが話を聞くときには、相手の話が、情報源に近いところから出ていて信頼性の高い情報(一次情報)なのか、それとも、情報源から距離があり、一次情報が変形や加工された可能性のある情報(二次情報)なのか、を考える必要があります。

たとえば、ある小売店の主人に話を聞いたとしましょう。その小売店の経営状態について聞いたとすると、それは本人の話ですから一次情報と言っていいでしょう。しかし、その主人が商店街のほかの店の経営状態について得意げにいろいろと語ったとしたら、それは二次情報ではないかと疑ったほうがいいかと思います。

もちろん何が一次情報で何が二次情報なのか、ということについて、明確なボーダーラインがあるわけではありません。一次情報、二次情報というのは、相対的なものです。店の主人が自分の店の経営状態についてしゃべったとしても、それが帳簿のとおりとは限らないので、具体的な数字については、帳簿が一次情報になり、主人の話はそれより信頼度が少し落ちることになります。

いずれにせよ、大事なことは、より一次情報に近い情報を得るように心がける、ということです。

相互作用としての聞き取り

情報源との距離ということ以外にも、考えなければならない問題があります。

あなた自身が誰かにインタビューされた場合を想定してみましょう。

ある人がやってきて、あなたに○○についての話を聞きたいと言います。まあ○○についてなら話してもいいかなと考え、あなたはインタビューを受け入れることにしました。

その人はよく調べてもきていて、なかなか的確な質問をしてきます。好印象をもったあなたは、○○について、いろいろ思い出しながら、話をしました。インタビューはなごやかなうちに終わり、その人は満足げに帰っていきました。

さて、ここで考えてみましょう。あなたがした○○についての話は、正確な話だったでしょうか。

もちろん嘘はついていません。しかし、○○について話すべき(と今思い返して考えられる)ことを全部話したわけではありません。聞きに来た人の質問に乗せられて、なんだかその人のペースのなかで○○について話をしたようにも思います。○○についてはいろいろな思いをもっているのに、聞きに来た人は、プラスの話を聞きたそうだったから、ついついプラスの側面を多く話した気もします。いや、プラスの側面を多く話したこと自体は別に自分の意に反していたわけではありません。でも、別の人に聞かれたら(たとえば○○についてネガティブにとらえている人から聞かれたら)話は別の流れになったかもしれない、と思います。

このように、人が「話す」ということは、なかなか一筋縄ではいきません。誘導質問がいけないとかいった単純な話でもありません。人が誰かに何かを聞いて、それについて相手が何かを答えるという作業は、単なるQ&Aではないのです。お互いの関係や、聞く内容と答える内容との相互作用などが反映しながら成り立つ作業です。

単なるQ&Aではない、ということは、もちろん悪いことではありません。私たちにとって大事なことは、聞き取り調査とはそういうものだという認識をもつことです。ですから、聞いた話は、どういう状況のもとで聞いた話か、そして、相手の「話」はどう解釈すればいいのか、に常に注意を払っておく必要があるということです。

【練習問題7】

あなたの年配の近親者(父母、祖父母など)、あるいは年配の知人に、昔の食事・料理について話を聞き、それを他人に伝わるような文章にしてみましょう。

【練習問題8】

あなたがぜひ聞いてみたいと思う人——あなたにとって魅力のある人、あなたの近親者、あなたの気になっている職業の人、あなたが好きな地域の人——がたどってきた人生(の一部)を聞いて、それをA4用紙一〇枚くらいの文章にまとめてみましょう。聞き書きの形式(本人が話している形式)でも、ルポルタージュ風でもかまいません。

7　観察する

聞くだけがフィールドワークでない

フィールドワークの基本は「聞く」ことです。しかし、聞くことだけがフィールドワークではありません。聞いただけではわからないこともまた多いのです。

たとえば、「自分が住む町の福祉施策の問題点は何か」について調査したいと考えたとしましょう。まず担当する行政職員の話を聞きに行きました。さらに当事者の話を聞こうと、関係者に話を聞きに行きました。しかし、そうしているうちに、実際の現場を見てみたいと思いました。

そこで介護保険にかかわるＮＰＯにお願いして、訪問介護の様子を実際に見せてもらうことにしました。また、要介護者のいる複数の家族にお願いして、介護の一部をお手伝いさせてもらいながら、実際の介護現場を詳しく見せてもらうことにしました。そうした現場を体験しながら、「自分が住む町の福祉施策の問題点」について考えてみました。

こうした方法を「参与観察」と言います。

体験のなかで気づく

参与観察は、なぜ大事なのでしょうか。

まず第一に、単に話を聞いているだけでは気づかないようなことを、実際の体験のなかで気づかされることです。ある昆布《こんぶ》漁の漁師さんにインタビューをして、昆布の採り方をいろいろ教えてもらいましたが、もう一つイメージがつかめません。そんなときは、実際の昆布採りに同行し、その様子を見せてもらうのがいちばんです。

あるいは、第2章で論文を集めてみたコミュニティ・カフェについて、実態を知りたいと考え、いくつかのコミュニティ・カフェの運営者に話を聞きました。しかしそれだけでは「実態」はわからないと考え、何日間か、カフェのお手伝いをさせてもらいながら、その様子を観察しました。ときには、そこにいる人たちと会話もしながら、「実態」を理解しようとしました。

その場の雰囲気、人びとの何気ない行動、さらにはちょっとした会話、そうしたものから気がつくことがたくさんあるはずです。話を聞くだけでは見えてこなかった多くのことを、感じることができます。

もちろん、観察するだけで全部がわかるわけではありません。参与観察にどっぷり入り込むと、調査対象と一体になったつもりになって、何でもわかった気になりがちです。しかし、そのなかで改めて聞き取り調査をすると、観察しているだけではわからなかったことにもまた気づかされます。

観察したことをノートに書いてみる

ところで、参与観察して気がついたことなどは、インタビューをしているときとは違って、メモを取りにくいものです。しかしこれは大事ですので、常にメモ帳をもって、気がついたらメモを書いておくことが必要でしょう。そして、最低一日に一回は、観察したことをノートにしてみましょう。日記風に書いたり、ルポルタージュ風に書いたりするのがいいと思います。

たとえば、以下のノートは、筆者(宮内)が沖縄県の池間島《いけまじま》という小さな島で調査をしていたときの「日記」からとったものです(二〇〇〇年の記録)。池間島の年中行事であるミャークヅツという祭りを初めて体験したときの様子です。

午後、前里《まえざと》ムトゥ(「ムトゥ」は池間島のなかにいくつかある、ミャークヅツの実施グループ。島の五五歳以上の男性はどれかの「ムトゥ」に所属する)に行くと、「総会」をやっていた。会計報告があり、それに対する質疑。

年齢順に一人一人が踊りを披露。まず長老に礼をして、そのあと全体に礼をしてから、踊る。一人三〇秒くらいの短い踊り。私も踊らされた。

次に、ムトゥで今後行うべきことなどについて議論(というほどのものはなかったが)が行われる。「前の庭をセメントで固めよう」という意見が出て、賛意が得られたので、議決しようとすると、Aさんが手を挙げて「長老の意見を聞くべきだ」と。そこで幹事が長老のBさんともう一人に聞いて賛意が得られ、決定。

話で聞いていたとおり、胸にリボンを付けた「一年生」が甲斐甲斐《かいがい》しく働いている。「一年生」とは数えで五五歳になった人で、ムトゥのウヤ(メンバー)に今年なった人のことである。「社長も、県の偉いさんも、この三日間ばかりは関係ない」とよく池間で聞いていた。

池間の人が沖縄の「方言大会」で優秀な成績を収めたときのテープが流された。老人たちは笑っているが、もちろん私にはさっぱりわからない。若いCさんも全部はわからないという。最後はカラオケ大会になった。

これは実際の場では、簡単なメモを取っています。それをその日のうちに文章化したものです。

もちろん、こうした観察記録をどこまでちゃんととるかは、どういう調査なのか、どういう報告をしようとしているのかによります。しかし、どういう調査にせよ、観察記録は大事です。いまは必要ないと思っても、あとで役に立つことが多いものです。

8　アンケート調査

アンケート調査は量的調査

ところで、調査というとアンケート調査を思い浮かべる人が少なくありません。しかし、この本では、これまでアンケート調査(質問紙調査)についてほとんど触れてきませんでした。日本はよほどアンケート好きの社会と見え、何かあるとアンケートをしたがります。イベントをやれば、イベント参加者に紙を配ってアンケートをとりたがります。自治体も何か施策を行うときに、アンケートをすぐしようとします。

なかなかに困った事態です。なぜ困った事態かというと、そうしたアンケートの多くが、「もともとやる必要がないもの」、「労力の割に結局何がわかったのかわからないもの」、「結果の正確さに乏しいもの」、「手法がそもそも間違っているもの」だからです。

まず、アンケート調査は、量的調査に属するものです。つまり数字を集めるものです。聞くときにはもちろん言葉で聞くのですが、その答えを数字に変換して、何が何%である、あるいは、二つのことがらのあいだに統計学的な有意差がある、といったことを検証するための調査です。

したがって、「アンケート調査」と称して「自由回答」で文章を書いてもらうようなものは、本来のアンケート調査ではありません。自由回答は、面倒くさいので空欄にしたり、短く書く人も多く、反対に少数ですが熱心にたくさん書く人もいます。その偏りのせいで、分析にはほとんど使えないことが多いのです。言葉を集める調査は、本来は質的調査であり、つまり、聞き取りや観察で行うべきものです。アンケートの質問票に「自由回答」を設けることは、あまり薦められたものではありません。

さて、アンケート調査は、選択肢で選んでもらい、それを数字に変換して分析するものですから、その前に、正確なサンプリングと、的確な質問内容の設定が重要です。誰が対象なのかがはっきりしていて(○○市の成人全体とか、○○学校の生徒全員とか。対象の範囲がはっきりしないとサンプリングができないので、したがって、アンケート調査はできません)、その対象(母集団)から無作為抽出で調査対象者を選び、選択肢で回答してもらいます。

無意味なアンケートはしない

そう考えたとき、次のようなアンケートの質問は、どうでしょうか。

あなたは環境保全に努めていますか。
1．おおいにそう思う。2．そう思う。3．あまりそう思わない。4．そう思わない。

いかにもよくありそうな質問なのですが、これはまったくダメだと言わざるをえません。まず、「環境保全」が何を指しているのか、どういう範囲のものを指しているのか不明ですし、「努めている」というのもどういうことを指しているのかわかりません。ですから、それぞれ受けとめる側で解釈が変わってきます。

また、そもそも、この質問で何を知りたいのかがはっきりしません。この質問だとおそらく「2．そう思う」に回答が集中するでしょう。それが六〇%になるのか、七〇%になるのかわかりませんが、六〇%なのか七〇%なのかという違いから何を読み取ろうとしているのでしょうか。アンケート調査は数字を読み取る調査なので、数字の違いから何を読み取ろうとしているのかがはっきりしていなければ、意味がありません。べつだん六〇%でも七〇%でもよくて、だいたい予想された感じの数字が得られたというなら、そもそもこんなアンケート調査をする必要はないのです。

アンケート調査は、知りたいことがはっきりしていて、それを周到に練られた質問で浮かび上がらせ、上がってきた数字を統計学的に分析する、というたぐいの調査法です。そのためにも、アンケート調査をする前には、十分な予備調査が行われている必要があります。

たとえば、以下は標準的な市民意識調査の方法の例です。

二〇一七年度A市市民意識調査　調査概要

調査地域　A市全域

調査対象　A市在住(三カ月以上在住)の満二〇歳以上の男女

標本数　二一〇〇人(対象母数五万三〇二三人。誤差三%と設定。回収率五〇%と予想)

抽出方法　A市住民基本台帳から単純無作為抽出

調査方法　郵送による調査票の配布・回収(督促状一回)

調査期間　二〇一七年一〇月三日から一〇月二一日

有効回収標本数　一一〇五人

有効回収率　五二・六%

通常、このような形で行われるものがアンケート調査です。街頭で適当に人をつかまえて、というのは、アンケート調査でも何でもありません（フィールドワークの一部として、ということなら何らかの意味があるかもしれませんが）。

専門家や行政による正確なアンケート調査は、その多くが大きな金をかけて専門業者に委託していることが多いものです。しかし、自分たちで調査しようとするとき、そうした余裕はないことがほとんどでしょう。

そもそも、市民による調査でアンケート調査が本当に必要な場面はどういうところだろうか、と考えたときに、じつはそれほど多くないことに気がつきます。数字の細かな差はそれほど意味がない場合が多いでしょう。また、多くの場合、似たような調査はどこかで行われていて、それを参照すれば、だいたいのところがわかることが多いものです。

安易に「アンケート調査を」と考えるのでなく、何を知りたいのか、そのためにはどういう調査をすればよいのか、どういう調査が可能なのか、と考えてください。その答えは「アンケート調査」ではないことが多いのです。

もちろん、どうしてもアンケート調査が必要になってくる場合はあります。残念ながら本書では詳しい解説はできませんので、その場合には、アンケート調査の手法について書かれたわかりやすい本などで勉強をしてください(巻末参考文献にあります)。

9　調査倫理

宮本常一「調査地被害」

この章の最後に、調査倫理ということについて考えてみたいと思います。

日本中を歩き回った民俗学者の宮本常一《つねいち》(一九〇七～一九八一年)が、一九七二年に「調査地被害」という文章を書いています。

「ある年、そこにある大学の調査団がやって来た。そして訊問型の調査が行われたらしい。根ほり葉ほり聞くのはよい。だが何のために調べるのか、なぜそこが調べられるのか、調べた結果がどうなるのかは一切わからない。大勢でどやどやとやって来て、村の道をわがもの顔に歩き、無遠慮にものをたずねる。『そんなことを調べて何にするのだ』と聞いても『学問のためだ』というような答えだけがかえって来る。村人たちはその言葉を聞くと、そうかと思って協力したというが、『厄病神がはやく帰ってくれればよい』と思ったそうである」(宮本 1972: 256)。

宮本は、日本全国を歩きながら、人びとの生活や産業について相談に乗りつつ話を聞いていった民俗学者です。だから、ただ聞くだけで、何も返さないような調査、調査する側が何か偉いかのような調査のやり方を、ひどく苦々しく思っていました。

「古老が問いつめられて、答えようのなくなっているのに、『こうだろう、ああだろう』としつこく聞いているフオクロリスト(民俗学者)もあったようで、『あれでは人文科学ではなく訊問科学だ』といっていた人もあった」(宮本 1972: 265)。

とはいえ、宮本も自分のやり方が完璧だと考えていたわけではありません。「できるだけお世話になりっぱなしにならないように心がけて来た。しかしいまふりかえって見ると、やはり迷惑をかけた方が多かったのではないかと思っている」(宮本 1972: 263)。調査は、その基本において、相手に迷惑をかける行為です。まずはそのことを認識しておく必要があるでしょう。

調査は特権ではない

あたりまえですが、「調査だから」と言って何か特権的に許されるものはひとつもありません。どんな調査であれ、また、どんな相手であれ、それは同じです。

相手を問いつめたり、不快な目にあわせたり、尊大な態度をとったりすることは、最もやってはいけないことです。人間として、調査を受ける側に立って考えたら簡単にわかることです。それを常に頭に置いていなければ、調査をする資格はありません。

お礼状を送る

借りた資料があったら、なるべく早いうちに、お礼状とともに返す、といったことも、ごく常識的なことです。調べたことをもとに発表したものがあれば、それを調査に協力してもらった人たちに送る、というのも当然のことです。

さて、ここまで、私たちみずからが調べるということについて、第2章で文献・資料調査の技法、この章でフィールドワークの技法について、お話ししてきました。

しかし、調べることを通して今の世界のリスクや課題について正しく認識し、よりよい社会にしていこう、という本書の意図からすれば、これまでの解説だけでは不十分なところがあることに気がつきます。それは、リスクや課題を定量的に測定する、あるいは、そこで集められた数値を分析する、といった技法についてです。

次の章では、それを詳しく解説していきたいと思います。

第４章　リスクを調べる

１　なぜ自分でリスクを調べるのか

リスクにさらされている私たち

今日、科学技術は、深く私たちの生活に入り込んでいます。環境やエネルギー、医療や健康、住まいや食、交通や通信、コンピュータやインターネット、生命操作やＡＩ（人工知能）――私たちの社会のあらゆる面に科学技術が浸透しています。世界中の大学、企業、国や民間の研究機関で日々膨大な研究開発がなされ、その成果が次々と、新しい効能や利便性をうたうモノやシステムとして社会に送り出されてきました。それはまるで、誰も全体を把握することも止めることもできない、世界を覆いつくす巨大な波のようです。

メディアでこうした科学技術の日々の進展が取り上げられることは多くありませんし、ふだん私たちは、この波にのまれていることをとくに意識しません。しかし、ときに、そのことを鋭く意識させられる場合があります。たとえば、二〇一〇年前後から、小麦アレルギーの被害例が報告され始め、商品が回収されることになった、「茶のしずく石鹸事件」。あるいはほぼ同時期の二〇一一年ごろに、美白化粧品を使うと皮膚が白くまだら模様になるとの被害が報告され、二〇一三年に商品が回収された「カネボウ美白化粧品白斑事件」。前者では原告の合計人数が一三七四名(二〇一二年時点)、後者では症状が確認された利用者が一万九五九三人(二〇一八年六月時点)と報告される、多数の被害者が出ました。もしあなたやあなたの家族がこれらの事件の被害者だったら、誰に何をどう相談し、どう補償を求めればよいでしょうか。あるいは、その症状からどう立ち直っていけばよいでしょうか。

この二つの事件、前者では「小麦加水分解物」、後者では独自開発された「ロドデノール」が原因物質だと判明しています。専門家たちは当初、これらのリスクを見逃していました。専門家たちが見逃していたという事実は、私たちに何か底知れない不安を抱かせます。

この章では、そうしたリスクについて、私たち自身で調べる方法について述べていきたいと思います。リスクに関する調査では、扱う対象が科学技術分野に属するものが多いため、これまでの章で述べたことに加えて、いくつかの自然科学的な手法を学ぶ必要があります。

生活者の視点が大事

それにしても、なぜ市民の手でこうしたリスクを調べる必要があるのでしょうか。なぜ専門家だけに任せてはいけないのでしょうか。

私たちがどんなリスクを背負うことになるのか、あらかじめ知ることは容易ではありません。身近な技術がある日突然、思いもよらないトラブルを起こすこともあります。微量でも常時摂取したり、さらされたりするものがあった場合、それが健康にどう影響するかについては、専門家でさえ判断のつかないことが少なくありません。さらに、食や水、エネルギーや交通といった分野で、巨大なシステムに依存することが大きなムダや環境負荷を生む面があるということは、個人ではなかなか実感しにくいものです。

技術に対する社会や個人の選択が、いったいどんな結果をもたらすのか、私たち一人ひとりが想像力を働かせる必要があります。しかし、現状、私たちにその力が十分あるとは言えそうにありません。それは、科学や技術のことは専門家が扱う、素人には歯が立たない領域だ、という思い込みに私たち自身が慣らされてきたからかもしれません。専門家の側にも時に、「素人は科学をよく知ってから発言すべきだ」といった姿勢が見受けられます。

自身の健康や環境を損なうことに対して異議申し立てをすることは、科学に熟知していなくても、もちろんできるはずです。しかし、科学のことをある程度知ったうえでなら、それをより有効にできる可能性があります。さらに、科学や技術が関係するさまざまなリスクは、じつは科学だけでは解決できないものばかりです。たとえば、リニア中央新幹線の建設は是か非か、「自動運転車」の導入は是か非か、といった問題は、科学技術だけで解ける問題ではありません。生活者の側からの意見や、生活者を交えての議論が欠かせません。生活者の視点に立った調査が必要なのです。

現状をよりよくするために

多くの科学者は、「知りたい」という気持ちを出発点にしています。「この現象がなぜ生じるのか、そのメカニズムを解き明かしたい」という好奇心が原動力です。もちろん、今日、環境問題や自然災害の問題について、生態学や気象学などの分野で、その解決に貢献しようという研究も数多くなされています。しかし、そうであっても、職業的な研究者(専門家)は、自分が携わる学問分野の同業者が多数いるなかで、常に何か他の人が見つけていないものを見出して論文を書きつづけなければならない、という境遇に置かれています。専門外の人から見れば、その研究がいったい何の役に立つのかわからない、という疑問が生じてしまうのには、そうした背景があります。

一方、この本で考えている市民による調査は、「現状をよりよいものに変えたい」という問題意識からなされるものです。現状の変え方はいろいろあるかもしれませんが、誰もが認めざるをえない客観的な事実を示すことで変えようとするのが、市民による調査だと言えるでしょう。ときにそれは、ウソや不正を暴く強力な証拠となり、あるいは危害やリスクを予防するきっかけとなり、あるいは環境の保護やコミュニティの存続に寄与する新たな手段となる可能性があります。

2　課題設定と文献調査

課題を設定してみる

調査を始めるときに最も重要なのは、何を明らかにしたいのか、その目的を明確にすることです。環境や健康のリスクにかかわることがらで、公的な研究機関や大学などで調査をすすめている問題も多数あります。一方、市民生活にとって重大であるにもかかわらず、取り上げられていなかったり、調べ方が不十分だったりする問題もまた多数あります。そうした問題について、どういう調査課題を設定すれば、明確な結果が出せるだろうかと考えます。明快で効果的な課題設定が、まず大事です。

具体的には、次のようなステップで課題設定がなされるでしょう。

(1)解決したい問題を、より具体的な個別の課題に切り分けてみる。

(2)その個別の課題に対して、現時点で想定できる「仮説」(○○ということを調べれば、おそらく△△という結果が得られるであろう)は何かを考える。

(3)その「仮説」について、どの程度の数と質のデータを得ることができれば、実証的に「結果」を導くことができるかを考える。

(4)切り分けた課題とそれに対する仮説を並べてみて、問題の解決にどれくらい役立つことになるかを改めて考えてみる(必要だったら(1)の段階に戻って考え直してみる)。

どういう課題設定が可能なのか、それはどういうステップを踏むべきなのか、次の練習問題で少し考えてみましょう。

【練習問題9】

次の二つのテーマは、関連する統計データがあるものもあれば、そうでないものもあります。それらの活用も含めて、市民による調査としてどう課題設定していくのが適切か、考えてください。

(1)自分の子どもが通う小学校で、喘息《ぜんそく》を患《わずら》う子どもの数が、どうも日本全体の平均よりも高いように思われます。車の往来の激しい幹線道路が近くにあることが影響しているのではないかと疑われます。そこで、その因果関係を調べたいと考えました。何をどう調査すればよいでしょうか。

(2)今日、高校生の大半がスマートフォンを持っています。なかにはほとんど一日中それをいじっている高校生も少なくありません。自分の子どもが通う高校を対象に、数名の父母が協力して「スマートフォン依存の実態」を調べたいと考えました。何をどう調査すればよいでしょうか。

(1)は、「大気汚染と喘息」というこれまで相当な数の調査研究の蓄積のある問題です。ですから、まずは先行研究の主だったものを調べてみる必要があります。先行研究から、どういった規模や精度の調査がなされ、大気の汚染度と喘息の発症度がどのように関係していると結論づけられているのかを知っておきます。そのうえで、自分が住む地域において、どのような調査をすることで、どのような新たな事実を明らかにできそうか考えます。

調査を始めるにあたってまず問題になるのは、対象となる疾患や症状をもつ人、疫学(これについてはこの章の5で説明します)の言葉を使うと症例(ケース)を、どう特定し、正確に人数を把握するかです。「喘息」という医学的診断が下った症例数は、文部科学省の『学校保健統計調査』を用いて知ることができます。ただし公開されているのは、各市町村での年齢別の総数のみで、学校別のデータを入手することは簡単でありません。そうなると、個人情報の扱いに配慮したうえで、無記名でのアンケートを実施するほかない、ということになります。となれば、学校側の協力が得られるかどうかが鍵となってきます。

また、この調査の場合、後に述べる疫学の「症例対照研究」に相当する調査となるので、因果関係の確証度を高めようとすると、かなりの数のアンケートをとることが必要となってきます。そうすると、今度は費用の問題も出てきます。

さらに、この調査では、問題となる幹線道路に「近い」エリアと「遠い」エリアに区分けして比較する必要があります。そのとき、どのように二つのエリアを定めるかについては、できる限り似た生活環境になるようにすることが求められます。疫学の言葉を使うと「交絡《こうらく》」ができるだけ生じないようにする必要があるということです。大気汚染以外で喘息に関係する何らかの因子の影響が伏在しているとすると、喘息と大気汚染の因果関係が正確に把握できなくなるので、二つのエリアでその因子の差を生まないようにするということです。

エリア設定をうまく行うためにも、事前にできるだけ広いエリアで数多くの測定ポイントを設け、しばらくのあいだ大気汚染の簡易測定をする、あるいは、各自治体が行っている大気汚染モニタリング(二〇一八年度末時点で全国で一八六六の測定局が設けられていますが、なかには中学校内に測定局が設置されている自治体もあります)のデータを使えないか検討します。

自治体のモニタリングよりもきめ細やかなデータをとるためには、自分たちで測定することが欠かせません。そうすると、そこでは、何をどれくらいの期間と頻度で測るか、計測器はどうするか、誰が測るか、正確に測れるか、集めたデータはどう分析するか、といった問題について見通しをもっておかなければなりません。

(2)のスマートフォン依存についてはどうでしょうか。これを調査しようとする場合、まず、スマートフォン依存が具体的に何を意味するのかを考えなければなりません。そこで、すでに行われている総務省の調査報告やウェブアンケートの結果など、先行研究を調べ、状況について大まかに把握します。場合によっては、高校生の父母の何人かを対象に、フォーカスグループインタビュー（座談会形式のインタビュー調査）を行って、「スマホの使用に関してどのようなことを高校生にアンケートで尋ねたり、あるいは行動を調査したりするとよいか」を思い描いていくことも有効かもしれません。

なお、この調査は自分の子どもが通う学校の生徒を対象にした調査になるので、既存の調査データと比較して、より「自分の学校」の特徴が鮮明になるようなものであることが望まれます。そのほうがより具体的な対策を立てることに役立つ調査になるからです。

過去の文献を調べる

課題設定がある程度はっきりした場合、次に行うべきは、それについての過去の研究を調べることです。似た調査を繰り返すという無駄を省くのが理由の一つですが、それだけではありません。先行研究を読むことで、その分野において研究者のあいだでどんな共通の了解があるのか、問題へのどのようなアプローチが一般的なのかを知ることができます。もっと言うと、文献を調べること自体がすでに調査です。調べたいことがらについて、すでに研究されたものを集めて概観する（レビューする）こと自体、重要な調査の一環です。

ただし、先行研究について、古典的な文献も含めて網羅的に読むことは、いくら時間があってもできません。したがって、みずから調査したいと考えているテーマにできる限り近いものを取捨選択する必要があります。それを効率よく行うのには、ある程度の経験を積む必要があるでしょう。慣れないうちは失敗や無駄も避けられないものだと心得ましょう。

文献調査は、「欲しい情報が載っている文献を探す」という「検索」と、「実際に手にした文献を読み込んで欲しい情報を見つける」という「読み込み」との、二つの作業からなります。文献調査については第2章でも解説しましたが、ここでは、リスクを調べる調査にあたって、第2章の内容に加えるべき部分を中心に解説しましょう。

図書館を利用する

調査に手慣れていない時期や、テーマがまだ絞りきれていない段階では、できるだけ幅広く、入門的なものも含めて目を通すことになるでしょう。そしてテーマがある程度明確になってくれば、おのずと専門性の高いもの、一般の書店や小さな図書館には置いていないような文献にアクセスしなければならなくなります。

そのようなときに、頼りになるのは、やはり第2章で紹介した国立国会図書館、そして東京ならば東京都立中央図書館です。

国立国会図書館は、所蔵する本、資料、論文の検索も優れていますし、文献に関する相談にも応じています。専門の調査員が執筆した調査報告も多分野に及び、非常に有用なものが多数あります。

都立中央図書館の最大の特徴は、多くの書籍や雑誌が書架に並べられていて、実際に手にとって見ることができる点です。もちろん開架書架にない本は、係の人に言えば書庫から出してもらえます。調査したい関連分野の本や雑誌を大量に書庫から取り出してはざっと見て戻し、ということをくり返して丸一日を使えば、その分野の大まかな状況、誰が何を論じていて、どんなことが中心的な話題になっているか、などがほぼわかります。

神奈川県立川崎図書館は、二〇一八年にリニューアルし、新たに「ものづくり情報ライブラリー」と銘打たれています。科学技術と産業分野に特化した図書館で、産業技術に関連する和書(専門誌や業界紙、社史を含む)がそろっています。それらをいつでも手にとってみることができるという点では、全国随一と言えるかもしれません。

さらに、第2章でも触れたいわゆる専門図書館には、ある特定の分野やテーマに関する本や資料なら海外文献を含めてどこよりもそろっているというところが数多くあります。この章で扱うようなリスク・科学技術に関連する分野では、たとえば、日本原子力研究開発機構図書館、防災科学技術研究所自然災害情報室、味の素食の文化センター・食の文化ライブラリー、住総研図書室、機械振興協会BICライブラリなど、多数あります。

全国の住民運動・市民運動のなかで生み出されてきたさまざまな文書(パンフレット、運動誌、報告書や活動記録など)も、リスクを調べる調査においてはたいへん貴重な資料になります。これらは書籍や論文として出版することを前提に作られたわけではないものが大半なので、これまであげてきたような図書館には保管されません。そうした資料をアーカイブしているのが、立教大学共生社会研究センターです。市民による調査の数多くの事例について、直接の資料を通じて学ぶことができる、ほぼ唯一の場と言えるでしょう。

実際に調査に取り組んでいるさまざまなNPOやNGOは、その調査に関連する情報を日々探っています。そうした活動のなかで収集した専門的な資料や文献には、必ずしもネットでダウンロードしたり閲覧したりできるとは限らないものも含まれています。もし自身で扱う関連する分野で、専門的な調査活動を行っているNPOなどがあるようでしたら、そこを訪れ、文献や資料のことで話を聞いてみるのもよいでしょう。

文献検索サイトを利用する

リスクを調べる調査では、自然科学の学術論文を読みこなさないといけない場合がしばしばあります。

たとえば、筆者(上田)は、以前、「ナノ化粧品」について、そのリスクを調べたことがあります。ナノ化粧品とは、日焼け止め化粧品に使われている二酸化チタンなどをナノサイズの粒子にしたものです。ナノ化粧品について、ネット上のニュースや批判的なコメントの多くは、「リスクがありそうだ」ということを示す動物実験研究の結論を紹介してはいても、「どういう条件のもとでその結論が得られたか」については言及していませんでした。また、その実験結論に対する反証がすでになされているのかなされていないのかもわかりませんでした。したがって、「これは原著論文にあたるしかない」ということになりました。こういうことはしばしば起こります。

そうしたとき、何にあたればよいでしょうか。

PubMed

リスクにかかわる調査の場合、有用なのは、広く医学・生物学系の論文をデータベース化しているPubMed(https://pubmed.ncbi.nlm.nih.gov/)です。

PubMed《パブメド》は、米国国立医学図書館(NLM)が提供している論文データベースで、世界中の五六〇〇誌以上の雑誌(そのうち、日本で出版された雑誌は約一六〇誌)に掲載された論文の検索サイトです。医学用語や著者名、雑誌名などのキーワードを手がかりに、文献の書誌情報(タイトル、著者名、雑誌名)や、その論文の要約を調べることができます。要約を見て、全文を見る必要があると思った場合は、そのまま発行元のページに飛び、一部はPDFファイルなどで本文を見ることができます(図4-1)。

近年はオープンアクセスになっている論文も多く、そうしたものは誰もが簡単に見ることができます。しかし、オープンアクセスになっていない論文もまだ多く存在し、それらは、それが見られる大学図書館などで見るか、その論文自体を購入するかしかありません。

PubMedは世界中で最も利用頻度の高い論文検索サイトであり、フィルター(絞り込み)や検索結果の保存など、便利な技が使えます。その使い方をていねいに説明してくれているサイトもありますので、参考にしてください(東京慈恵会医科大学学術情報センター「PubMedの使い方」など)。

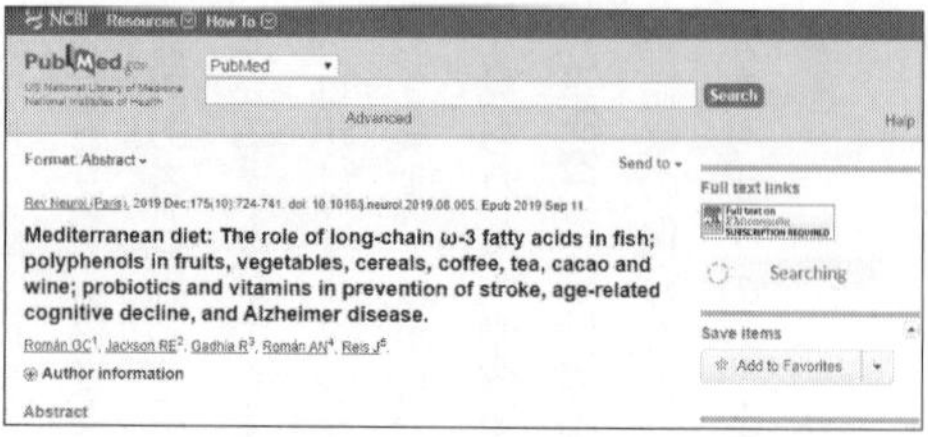

図 4-1　PubMed

Bibgraph

自然科学の論文を検索するための便利なサイトとして、医師向け医学論文検索ポータルサイト Bibgraph《ビブグラフ》(https://bibgraph.hpcr.jp/)を紹介しましょう。「医師向け」と銘打たれてはいますがキーワードで論文を検索するだけなら、誰でも利用できます。

さらに、分野も医学に限定されません。このサイトでは、研究者に広く利用されている検索サイト PubMed、J-STAGE、CiNii を日本語で横断的に検索できます。

Bibgraph の画面で、PubMed を選んで検索をかけると(キーワードは日本語でも大丈夫です)、関連する論文のタイトルと要旨が日英両語で表示されます。

たとえば、「マイクロプラスチック」で検索すると、三六八六件がヒットします。これを日本語文献の J-STAGE に切り替えて探すと、一二四件となります。同様のことを、キーワードを絞って「マイクロプラスチック　毒性」で行うと、PubMed で一二五件、J-STAGE で一四件、「マイクロプラスチック　環境」で行うと、PubMed で七〇四件、

J-STAGEで一一件、さらに「マイクロプラスチック　毒性　環境」で行うとPubMedで五八件、J-STAGEで一三件ヒットします(図4−2)。

このように、キーワードを変えながら絞り込み検索を続けて論文を探し、その要旨を読みながら、自分のいまの調査に役立ちそうな知見を収集することができるのです。

図4−2　Bibgraph

Google Scholar

Google Scholar《スカラー》(https://scholar.google.co.jp/)も、英語文献・日本語文献を合わせて検索できる強力な学術論文データベースです。

通常のGoogleと同じように、検索する言葉を入れて、それで論文を検索します。論文タイトルだけでなく、本文にもその言葉が含まれていれば、それもひろってくれます。ヒットした論文をクリックすると、論文そのもののページに飛びます。PubMed同様、オープンアクセスで誰でも論文本体が手に入

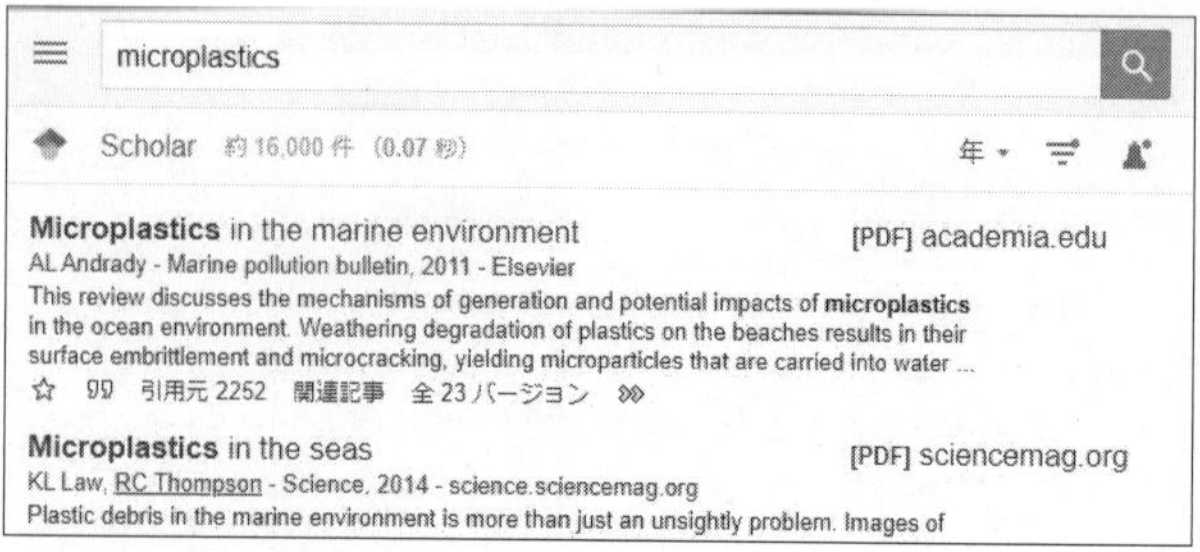

図 4-3 Google Scholar

れられるものもあれば、大学図書館などからでないと手に入れられないものがあります。検索したときに「PDF」の印が出ていれば、それをクリックすると論文本文が出てきます。

Google Scholar の検索では、引用数(その論文がどのくらい他の論文に引用されたか)も表示してくれますので、論文の信頼度の高さを推し量る指標になります。また、示された論文の項目の下の「”」のマークをクリックすると、正式な書誌情報が現れるので、それをそのままコピーして使えるという便利な機能もあります。「☆」のマークをクリックすると、自分の「マイライブラリ」に「お気に入り登録」されるのも便利です(図4-3)。

その他の論文データベースとして、Scopus や Web of Science があり、いずれも、人文・社会科学を含む世界中の幅広い論文の情報を集めていますが、これらは残念ながら、契約のある大学など研究機関からでないとアクセスそのものができません。

専門論文の読み解き方

学術論文などの専門的な文献を読み解くのは、その分野の専門家でない限り、骨が折れるものです。「要旨(アブストラクト)」の日本語訳を読んでもほとんど理解できない場合などは、「専門知識をやはり一から勉強しないとダメなのか」とあきらめ気味になるかもしれません。しかし、その中身が大事な内容を含んでいる以上、なんとか、できるだけ要領よく読み解きたいと思うはずです。

じつは、むずかしい論文でも、いくつかの〝戦略〟をもって臨めば、決して歯が立たないというほどではありません。その戦略とは、まずは、読み解きたいと思う当の論文と同じ分野の同じテーマを扱っている日本語の総説論文を見つけて、それをていねいに読んでみることです。

総説論文(レビュー論文)とは、特定の分野やテーマについて、その先行研究(多くの場合、最近の先行研究)の情報を集め、系統立てて解説した論文です。したがって、総説論文を読むと、どういった専門知識が前提とされているのか、また研究者らがどういった基礎的な知見を共通の了解として問題に取り組んでいるのかが、ある程度見えてきます。

次に、前提として使われている専門用語を書き出し、ネットや、その分野の定番の辞典・事典、広く普及し定評ある教科書の索引などを利用して、まとまった解説を見つけます。そしてそれを読んで、理解するように努めてみましょう。また時間があれば、必要最小限のことをまとめた入門的な教科書を通読するのもよいでしょう。そうしたことを経て、元の論文に再度あたってみれば、このような戦略が遠回りであるように見えて、実際は近道であることがわかるはずです。

目を通さなければならない論文の数が多くて、時間の節約上、効率よく読まざるを得ない場合もあるでしょう。とくに英語の論文の場合、日本語で読むよりも時間がかかるのが普通なので、「あたりをつけて、必要な情報をとる」要領のよい読み方が大事になってきます。

自然科学の論文の場合、その構成はおおよそはっきりしています。タイトル、要旨、キーワード、序論・背景、研究方法、結果、考察、結論、文献、謝辞、という順番です。序論、背景は、最もわかりやすい中身になっていることが普通なので、この部分でつまずくようであれば、先の戦略に応じた基礎固めを行ったほうがよいでしょう。そして、要旨を読み、もしわからない用語があれば、キーワードとあわせてネットなどで調べましょう。また、グラフや図表は、たいていその論文のなかで述べている、とくに重要なことがらにかかわって作られていますから、そこに付けられたキャプション(解説文)をていねいに読みます。そこでわからない点があれば、やはりネットなどで調べてみましょう。

勉強したことがない分野の「勉強」法

何らかの調査をしようとする場合、自分がこれまで勉強していない分野の勉強をせざるを得ない場合がよく出てきます。そういう場合も、ひるまず、やってみましょう。

まず、自分が調べたい課題に関係しそうな学問領域が何であるのかを見定めます。そのうえで、その分野のスタンダードな専門教科書にあたり、不明点や疑問点を洗い出します。そして、その本の索引を利用して、より基本的な解説を加えているところを探し出し、場合によっては専門的な事典やネット上の情報も利用して、理解できるかどうかをチェックします。

ここで大事なことは、すべてを理解しようとはしないことです。知り得た専門用語や概念などを、ノートなどに記した調査課題のまわりに書き込んでいって、自分の理解がどの程度進展したかをわかるようにしておくとよいでしょう。

一方で、短い時間で通読できそうな良質の入門書を読み、その学問領域の全体像を自分なりにイメージできるようにしておきます。その領域の基本的な概念のおおよその意味、それらのつながりや構成、そしてその分野における研究手法などを把握していきます。

たとえば、「遺伝子組み換え作物の安全性」について知りたいとしましょう。その場合、そもそも遺伝子組み換えとは何か、ある程度まで知っていなければなりません。また、最新の報道記事を読もうとするときにも、そこで引用・言及されている論文を読みこなさなければなりません。そこで、そこに出てくる専門用語を分子生物学の専門教科書を参照しつつ(たとえば『細胞の分子生物学』Albertsほか著、日本語訳はニュートンプレス社)、論文を読み進めます。また、それと並行して、この問題を一般向けに解説した概説本で評価の高そうなものを一冊選んで通読してみます。

英語文献を読む技術

自然科学では、良し悪しを別にして、事実上英語が共通語となってしまっています。しかし逆に言えば、調査に必要な重要文献は、英語だけ知っていればほぼ問題なく読める、ということでもあります。

市民にとっての問題は、読みたい論文や報告書があった場合に、要点をつかむべく速読する方法を身につけられるかどうかです。それには、専門的な内容についてどの程度知っているか、そして、語彙《ごい》力の不足から「訳語探し」にかかる時間をいかに短縮できるか、という二つの課題があります。

前者については、自然科学の論文は専門用語さえ覚えていれば、凝った表現が頻発することはあまりないので、比較的簡単に通読できます。ですから、まずは、教科書や概説書で紹介されている基本用語を英語で覚えてしまうことが早道です。近頃は、日本語に翻訳された教科書には、「日本語に翻訳した用語(そのもとの英語)」という形で並記しているものが少なくないので、日本語の教科書を読みながら専門用語を英語で覚えていくことができます。用語集の一覧の「単語帳」を自分で作って、一気に覚えてしまうのも手です。

後者については、たとえば、Google 自動翻訳や DeepL 翻訳(https://www.deepl.com/home)、みらい翻訳(https://miraitranslate.com/)などを使って日本語に変え、それを一気に読んで論文の中身を大掴《おおづか》みにするのも一つのやり方です。ただしこれは、その分野にある程度詳しくないと、機械翻訳による訳語や訳文のおかしさ加減が判断できないので、注意を要します。

おすすめするのは、ウェブ上で論文を読んだり、PDFで論文を読んだりする場合に使える、「マウスである単語を選択すれば、ポップアップで自動的に訳語が出る」というアプリを用いることです。Google 翻訳の拡張機能や Weblio 英和辞典のポップアップ機能がそれにあたります。

最新の学問動向のフォロー

文献を読むことは、「学習のため」ではなく、あくまで「調べるため」です。したがって、調べたいテーマを含んだ学問分野を一から学ぶ必要はありません。

ただし、その分野での新しい動向、たとえばどの研究者がどのようなテーマにどのようなアプローチで取り組んでいるのかなどは、文献を読む際にも押さえておく必要があります。健康リスクなどをめぐって、ホットな問題であればあるほど、研究者たちがそれを対象にして新たな研究をすすめているでしょう。したがって、文献だけからはなかなか見えてこないそうした最新の動向を、要領よくつかむことが必要になってきます。

そのためにもっとも有用なのは、関連する学会の学術発表大会に参加して発表を聞いたり（それがかなわなければ「要旨集」を手に入れて読んだり）、その学会が主催するシンポジウムや講演会などを学会のホームページでチェックして足を運ぶことです。

また、学会や国立研究機関などが、最新の研究の動向を一般の人にもわかるように解説を加えながら紹介するコーナーをサイトに設けているところもあります。あるいは、動向の把握に役立つ最新の報告書を全文ダウンロードできるようにしているところなどもあります。定期的に、そうしたサイトをチェックしてみることが有効です。

たとえば国立環境研究所は、そのサイトで「環境問題に関心のある方」というコーナーを設けて、そこで「刊行物」(隔月発行の「ニュース」、年四回発行の研究情報誌「環境儀」、年報など)、「ビデオライブラリ」(シンポジウムや講演の動画)、「小・中・高校生の方へ」(種々の解説や冊子教材など)をすべて公開しています。また日本植物学会はそのホームページで「植物科学の最前線」として和文の総説集「植物科学の最前線(BSJ-Review)」を全文公開して、専門家でない人にも最新の動向がわかるようにしています。日本植物生理学会はそのホームページに「植物Q&A」のコーナーを設けて、一般の人からの質問を受け付け、それに答えています。その数、三〇〇〇項目にも及びます。

自分が調べたい問題に関係する学問領域の学会や研究機関に、これらに類したサイトがあるかどうかをまずは把握しておきましょう。

図書館などで『科学』(岩波書店)や『日経サイエンス』(日経サイエンス社)などの総合科学雑誌の最新号をざっとチェックしたり(とくに目次やニュースや時事的トピックスのコーナー)、日本学術会議の『学術の動向』、科学技術振興機構の『JST news』や『Science Window』などをざっと見ておいたりするのも有用です。とくに役立ちそうな記事・論文があれば、そのタイトルと出典を控えておくか、コピーをとっておきましょう。余力があれば、『Nature』、『Science』といった国際的な科学雑誌の速報のメールマガジン配信に登録して、届いたらざっと目次に目を通すようにします。

専門家にたずねる

文献での先行研究の把握がある程度進んだ段階では、関連する専門家にヒアリングをすることができれば、大変有益です。自分で設定した調査テーマについて、何がどこまでわかっているか、わかっていないことをどう研究しようとしているのか、といったことを、専門家へのヒアリングによって、より詳細に把握することができます。

専門家に的確な質問をすること、インタビューでの発言の中身をしっかりと把握すること、そして発言の全体を整理して生産的な議論をしかけられるようにすること。これらは決して容易なことではありません。しかし、それを行うことによって、あらためて有意義な論点も出てくるに違いありません。

しっかりと準備したうえで、こちらの不明な点をできるだけ明瞭にして教えを請えば、その疑問と真摯《しんし》に向き合って、ていねいに教えてくれる専門家は意外に多いのです。

たとえば、筆者(上田)は、研究助成を得た共同研究として二〇一四年に「放射線健康影響に関する専門家フォーラム」を二回実施しました。福島原発事故のあと、低線量被曝の健康影響に関して専門家のあいだでもかなり見解が異なっているということが知られるようになりました。そのことは、社会にさまざまな混乱をもたらしました。この専門家フォーラムは、その事態を受けて、科学的に不確実なことがらについて社会的な意思決定を行うためには、何をどこまで合意できることとして社会に示すことができるか、を探るものでした。

この研究では、フォーラムの開催に先立って、二カ月をかけて一九名の専門家にインタビューを実施し、そこで得られた知見をもとに論点を整理しました。そのうえで、インタビューに応じていただいた専門家のなかから、フォーラムの登壇者を選定しました（フォーラムの記録は市民科学研究室のホームページに「放射線健康リスク専門家フォーラム」と題して掲載されています。https://www.shiminkagaku.org/forum/）。

テレビのドキュメンタリー番組を利用する

先行研究の調査として、あるいはより踏み込んだ調査の資料として、ドキュメンタリー番組や放送大学の番組があります。あまり言及されることはありませんが、これらは録画して個人で使用する限りにおいて、文献と変わらない有用さをもちます。

ある特定のテーマに関連して、放送メディアがほかでは得られていない独自の調査結果を公にしている場合があったり（「NHKスペシャル」やNHKBSの「BS世界のドキュメンタリー」などの一部がそれにあたります）、アカデミズムの最新研究の一端が概観されていたりして、先行研究としても見落とせないものが含まれています。NHKのドキュメンタリー番組については、その多くが、NHKオンデマンド（有料）で見ることができます。また、放送大学も、それぞれの分野の概観を得るのにたいへん有用です。

3　自分で測定する

文献を調べたり、専門家にたずねたりしても、はっきりとした答えが出ない場合、自分たちで直接調査する、というプロセスに入ることになります。

健康や環境にかかわる何らかのリスクを明らかにするためには、これまでとられていなかった何らかのデータをとり、そのデータをもとに、リスクへの適正な対処を前進させることをめざさなくてはなりません。その調査では、調査で取り組む課題の意義を明確にすることがまず前提になります。そのうえで、調査の内容に科学的な誤りがないように正確を期すことが求められます。さらに、どのような調査方法でどのような量と質のデータをとるのか、そしてそのデータやそこから得られた推論の信頼性をどう保証するのか、を考えなければなりません。

測定の前のフィールドワーク

市民が行う調査では、投入できる資金も人手も時間もかぎられています。

たとえば、糖尿病の発症の地域差を調べてその原因を探りたい、と考えたとします。そうした調査を行ったものはないかと調べると、たとえば、厚生労働省の「循環器疾患・糖尿病等生活習慣病対策総合研究事業」のなかに、「健康寿命及び地域格差の要因分析と健康増進対策の効果検証に関する研究」というものがあることがわかります。見ると、この研究は、八名の研究者が二〇一六〜一七年度の二カ年で総額二六九〇万円を費やしてなされています。

しかし、市民が行う調査でこんなにお金をかけることは不可能です。一方で、この調査の報告書を読んでも、結局、糖尿病発症の地域差の原因ははっきりとはわかりませんでした。

では、どうすればよいのでしょうか。やはり、自分たちで調査を行うしかありません。調査の目的を適切に設定することで、規模が小さくても問題提起の力は劣らないようにしていくしかありません。

そうした、「小粒でピリリ」と効くような調査をするためにもっとも大事なのは、じつは現場(フィールド)とのかかわりです。問題が発生した現場、被害の現場に通い、現場の当事者、住民、利害関係者がおかれている状況について、彼らの直接の声に真摯《しんし》に耳を傾けることが大事なのです。その状況がなぜ生じてしまったのか、そのなかで人びとは何を考え、恐れたり苦しんだりしているのか、それを打開する術《すべ》はあるのか。現場に通い詰めるなかで、自身にいくつもの疑問や推測が思い浮かぶようになります。

この「現場体験」で形成される共感や疑念や想像が、これまでに自分で身につけてきた知識や判断力とあいまって、何をどう解明すべきかの見定めに昇華《しょうか》されていきます。このプロセスは、フィールドでの見聞から調査の形を思い描いていくという意味では予備的な調査と言えますが、それだけではありません。じつは、本格調査を行っている最中でも、当初予期しなかった新たな状況とのかかわりが生まれ、このような聞き取りを中心とした作業が必要となることは、むしろよくあることです。

第3章で解説したフィールドワークは、いったん開始した調査をより狙いの定まったものにしていくのにも必須の技術なのです。誰に何を尋ね、その聞き取りの結果から何を問題として定式化していくかは、次の項で述べる「何をどう測り、そのデータをどう生かしていくか」の枠を決めます。あるいは、場合によっては調査の軌道修正を図るためにも欠かせない作業なのです。

科学技術にかかわる問題を扱う場合にも、調査が文献調査や計測データの収集だけにとどまることはまずありません。先の糖尿病の調査においても、既存の研究でわかっていない点を明らかにするには、患者本人の生活習慣を形成している家族関係、仕事や収入、嗜好、周囲とのかかわりなど、暮らしぶりの全体を感じ取れるような聞き取りが必要になります。

別の例を一つ考えてみましょう。

昔はあたりまえに見られたメダカが、一九九〇年代後半くらいから激減したと言われています。地元の川でその個体数がどう減っているかを計測できれば、それはそれで大切なデータとなるでしょう。しかし原因を探り、対策を立てるとなると、どうでしょうか。そこではもっと違った調査が必要となります。

周りの田んぼや畑が変化したことは関係するのか。用排水路のコンクリート護岸改修の影響はどうか。宅地造成やそれに伴う生活排水の流入はどうなのか。環境の影響の何に目星をつけて調べていけばいいのか。それらを考えるには、やはりその地域に住む人たちへの聞き取りを重ねながら、地域の環境の変化をまずは手広く調べることが欠かせません。

どのような計測がなされているかを知る

環境や健康にかかわる種々のリスクの問題は、文献調査やフィールドでの聞き取り調査だけで明らかにできることはまずありません。何らかの方法で、観察や計測、実験を行ってデータを得て、そのデータを解析することが必要になってきます。

たとえば、近年大きな問題になっている「マイクロプラスチック」で考えてみましょう。マイクロプラスチック問題の解決を考えた場合、知りたいのは、海に流出するプラスチックゴミをどう減らすか、あるいは、人やその他の生き物が悪影響にさらされることをどうなくしていくか、ということになるでしょう。とすれば、調査目標は、まず現状の事実を詳細かつ正確に明らかにし、さらに、その事実に基づいて改善のための有用な取り組みを提起する、ということになります。

では、その場合、何を具体的に調査すればよいでしょうか。この調査では、生成や取り込みの経路(製品→環境中への放出→生物の摂取)に即して、マイクロプラスチックはどこにどれくらいの量で環境中に存在し、どのような生物にどれくらいの量で取り込まれることになるのか、という定量的な調査が目標になるでしょう。これらのデータと、個別の実験で示される生物への毒性のデータとを重ね合わせることで、はじめてマイクロプラスチックの生体へのリスクを推定できるようになります。そしてそれによって、どのような規制を導入することがそのリスクを低減するのに効果的かも見えてくるでしょう。

では、マイクロプラスチックの環境中の存在量、生物の摂取量は、どう測ればよいでしょうか。

最近の研究では、水道水や市販の食塩や洗濯の排水にまでマイクロプラスチックが含まれていることが報告されています。そうすると、たとえばヒトが摂取することになる経路はきわめて広範囲になっているだろうと推測できます。採取した観察サンプル（たとえば、水道水、食塩、あるいは洗濯の排水など）のなかのマイクロプラスチックの量の計測はどうなされているのかを専門の論文で確認しつつ、市民によるどのような計測が有効かを考えることになります。

じつは、マイクロプラスチックについての系統的な環境モニタリングやリスク解析の仕事は、現在世界中で研究が進められているテーマです。世界中の研究者が、マイクロプラスチックを採取し、分類し、計量し、そしてそこから溶出したり付着していたりする有害成分を特定して計量し、そのリスクを推定しています。また、ある程度確立したサンプリングの方法を用いての調査も、いくつかの自治体でなされています。さらには、海岸への漂着量を推定するために有効なサンプリング方法を探った研究も行われています。

ただしそうした多数の研究があったとしても、生活のなかでどのようなリスクにさらされ、そのリスクをどう減らしていけるかが、すぐさまわかるわけではありません。自身で測定できないとしても、どのような測定データが不足しているかを明らかにしていくことも、市民による調査の大事な一面だと言えるでしょう。

計測器を知り、手に入れるために

計測には計測器が必要です。計測器を使うことによって、環境中や生体中の何らかの因子(化学物質、放射線、電磁波、音波など)を同定したり定量したり、あるいは、動態や兆候を把握するために個体数をカウントしたり、形状や大きさの変化を測定したりします。

こうした測定の多くは、高校までの理科の授業で扱う計測器では対処できないものです。大学においても、各分野の専門化が著しいために、一人の学生が接することができる機器はごく限られたものです。そこには、機器自体が非常に高価で取り扱いに慎重を要するという事情もあります。

たとえば、種々のサンプルに含まれている化学物質の成分を特定し、定量するのによく利用される質量分析計（ノーベル化学賞を受賞した田中耕一さんの業績がこれに関係します）を扱ったことのある学生は、理系の学生全体の一割もいないでしょう。言ってみれば、計測機器全般に通じている専門家はどこにもおらず、世の中には、一般の人が見たことも聞いたこともないような計測器がごまんとある、ということです。

「何をどう測りたいか」のアイデアがある程度固まったら、それに関係する分野の教科書や実験書などを開いて、どのような計測器が用いられているかを調べたり、その分野の専門家の研究室を訪ねて測定の現場を見学させてもらったりするのがよいでしょう。あるいは近年は、測定の実際の様子がシーンとして入っている動画や、計測機器メーカーのホームページなどが提供する図解入りの説明などもネットで見られることが多くなってきています。そうした下調べを経て、どのような計測器を用いるのが適切かを見定めていくことになります。

しかし適当な計測器が見つかったとしても、それを使うとなると、大きな問題が立ちはだかります。すなわち、自分で購入するには高価すぎるし、かといって大学や研究機関にあるものを使わせてもらうわけにはなかなかいかないからです。

そうした場合、どのような手段で計測器を入手することができるでしょうか。

一つは、中古品を手に入れる方法です。ただしこれは扱っている店がかなり限定されていることと（東京の秋葉原には中古の計測器の専門店がいくつかあります）、その機器自体について相当詳しい知識がないとまっとうな製品かどうか（後述する「較正《こうせい》」がなされているのか、メンテナンスがきちんと行われてきたのか、修理の際に部品は手に入るのか、など）の判別がつかないことが多いでしょう。ネットで探して見つける場合は、現物を手にできないだけになおさらです。できれば、その機器の扱いに長《た》けている専門家が使ってきたものを安価で譲り受ける、というのが理想ですが、なかなかそうした機会には恵まれないでしょう。

もう一つは、機器を買うのでなく、その測定を専門にしている業者に問い合わせて、調査のなかでのその測定だけを依頼する方法です。これは業者にとってはビジネスなので、こちらが詳しく尋ねれば、多くの場合、きわめてていねいにその測定に関する諸々の事情や手順やデータの見方などを教えてくれます。ただしこれも、業者に支払うお金は決して安くありません（測定のための一回の出張で一〇万円くらいかかることはよくあります）。ですから、この場合は、測定したデータがその後しっかり生かせるように、あらかじめ業者とも相談して、スキやモレのない測定計画を立案することが大事です。

なお、こうした出張計測は、その当該リスクへの対応を会社の一事業部門として位置づけているような企業なら、場合によって消費者からのリクエストに応じるという形で無償で行ってくれる場合があります。そうした企業は、最新かつ最高品質の計測器を備えていることが多いものです。ただし、当然のことながら、その計測は、企業が想定している範囲での、リスクがない、あるいは少ないことの確認のためになされることが普通ですから、そのデータを使って何が言えるのかを自分なりによく検討しておかないと、生かせるデータにならない恐れがあります。また、こうした出張計測は、まれに行政、たとえば自治体の環境部局などが行っていることがありますので、確認してみるとよいでしょう。

機器を共同で購入するという手もあります。計測器は、長期間にわたって使用する場合もあれば、あるときにだけ集中的に使用する場合もあります。多くの場合、いくつかの団体がそれを共有して、それぞれの団体が必要なときに使うのが、いちばん合理的でしょう。ほかへ貸し出す際に、レンタル料をもらうこともできるでしょうし、共有する仲間と測定のための勉強会を開いて、メンテナンスの方法やデータの読み解きを学び合っていくことも、やりやすくなるのではないかと思います。

じつは、計測器の入手・活用という点で最も安心で確実なのは、当該の測定に手慣れている研究者と共同研究を組むことです。テーマによりますが、今日、大学の研究者と市民が手を組んで調査にあたることは当たり前になってきています。その場合、市民の側から、研究者へのコンタクトや交流の機会を見逃さないようにして、信頼関係を築いていくことが前提になるでしょう。

筆者（上田）の市民科学研究室での経験を振り返ってみると、たとえば環境中の電磁波計測で用いる比較的安価な簡易計測器では、計測ができない、もしくは正確さが欠けるといった局面にいくども遭遇し、そのたびに計測器メーカー、測定専門業者、企業の研究部署、大学の研究者、海外のＮＰＯらの協力と支援を受けたことでなんとか乗り切ることができました。

こうしたさまざまな協力を取りつけることができたのは、（１）こちらの調査の意図とその社会的意義を手紙やメールでていねいに伝えること、（２）できれば直接会って、こちらがこれまで積み上げた実績についても資料を携えて説明すること、（３）計測器がきちんと扱えるように事前に講習を受けたりマニュアルを詳細に読み解いておいたりすること、（４）何かトラブルがあって機器に不具合を生じさせてしまった際の対処法を取り交わしておくこと、といった対応を心がけてきたからでした。

計測器を適切に使う

測定を正確に行うためには、計測器や測定値の扱いをきちんとしなければならないのは言うまでもありません。使用説明書をまずは隅から隅まで熟読し、そこに出てくる単位や用語の意味でよくわからないものは、当該分野の教科書や専門知識の解説サイトで調べ、理解しておくことが重要です。

測りさえすれば何らかの測定値は出てきます。しかし、それが、まったく不適切な測り方をしている場合もあります。

たとえば、食材の放射線量を測ろうとして、空間線量計を用いたとしたら、それはまったく意味がありません。というのも、空間線量計は、「ある場所にいる自分が今この時に浴びているだろう放射線量」を知るのに用いられるものだからです。汚染していると考えられる食材に計測器を接近させて何らかの測定値が表示されたとしても、それで汚染度を測定したことにはならないのです。というのも、食材から発せられる放射線と周りの空間を飛び交う放射線を区別できないからです。

また、二、三万円程度で入手できるため電磁波の計測によく用いられる低周波磁場計測器(いわゆるガウスメーター)や高周波計測器では、電磁調理器(IHクッキングヒーター)が発する電磁波の強度を正確に測ることはできません。そうした簡易型の計測器では拾えない「中間周波数」の成分がIHからの電磁波には多く含まれているからです。

携帯電話やスマートフォンによるマイクロ波の曝露《ばくろ》についても、この高周波計測器では正確に測れません。端末に内蔵された発信アンテナの近傍(端末から数センチから数十センチ以内くらいの空間)では、電波強度の分布が遠方と異なり、高周波計測器は、そうした近傍での測定ができない仕様になっているからです。

環境中の諸条件を、できるだけ詳しく記録しておくことも大切です。場所(周りの建物の設置状況や何か影響を与えそうな設備のことも)や時刻、温度、湿度、周囲での人の集まり具合など、さまざまな影響因子を想定しておく必要があります。測定にあたっては、できるだけその測定の現場を写真に撮って残すのがよいでしょう。後に数値の読み解きをする際に、その写真から思わぬ手がかりを得たりすることもあります。

測定値の扱いに注意する

できるだけ条件をそろえて測ったとしても、こうした諸条件の違いが微妙に作用し、得られる数値が毎回少しずつ違うということが当たり前に起きます。したがって、一回の測定で得られた数値を、測定値として代表させるわけにはいきません。何度も計測してその数値がどの程度ばらつくのかを見計らったうえで、どの数値を使うか(平均値をとることも含めて)判断していかねばなりません。

測定値の誤差には、おおまかに次の三種類があります。一つ目は「測定誤差」で、これは、同一サンプルを測ったときのデータ間でのばらつきです。二つ目は、「サンプリング誤差」で、これは、同一の条件で作られた製品などのなかから抜き取ったサンプル（測定対象物）間でのばらつきです。三つ目が「実験誤差」で、同一条件の組み合わせで行った実験間のばらつきです。測定対象に応じて、このような誤差がどこでどう生じるかを、あらかじめ慎重に検討することが必要です。

得られた測定値を扱う際に最も留意しなければならないこととして、後述する、使用している計測器の精度・分解能、そして有効数字の問題があります。測定には必ず「不確かさ」がつきまといます。それは、先に述べた誤差にもかかわりますが、そもそも測定は、結果がある幅のなかに収まっていることが確からしいという情報しか提供しないものなのです。

たとえば、「体温計で測って今の自分の体温は三七・二度だった」というときの測定値の意味を考えてみましょう。時間を置かずにもう一度測り直すと三七・一度だったとすれば、このとき浮上するのが誤差の問題です。その誤差が人の体の変化に由来するのか、測り方に由来するのか、はたまた温度計そのものに由来するのか定かではありません。通常の精度の体温計だったとすれば、三七・二度というのは、「三七・一五度以上三七・二五度未満の幅に収まっていることがかなり確か」だということであり、三七・一度というのは、「三七・〇五度以上三七・一五度未満の幅に収まっていることがかなり確か」だということです。ですから、この測定値のばらつきは、「まああり得る範囲だろう」と見ることができるのです。さらに、「精度」と「正確度」を区別しなければなりません。

正確度と精度

より厳密な測定を可能にする何らかの別の方法によって、より「真の値(本来の値)」に近い値が得られているとして、その値を「的《まと》の中心」だとみなしましょう。そのとき、いま手にしている計測器で繰り返し測定して図4-4のAに示されるような測定値を得ました(繰り返し測定することを、的に向かって矢を何度も放つことになぞらえています)。この場合、「正確度」とは、的の中心と矢が当たった場所との近さを意味しますので、中心に近ければ近いほど正確度は高いと見なされます。

また「精度」とは、矢を何回も放ったとき、矢の当たった範囲がどれくらいの大きさに収まるかに相当します。放ったすべての矢が非常に狭い範囲に当たった場合、精度が高い(再現性が高い）ということができます（図4－4のB）。これは、その範囲が中心とどういう距離にあるのかとは無関係なので、精度の高い測定が必ずしも正確度が高いとは限りません。一方、精度が低ければ低いほど、図4－4のAにみるように、的からはずれることが多くなりますから正確度も失われていきます。

こうした精度については、じつは、多くの場合、計測器のマニュアルに記載されています。たとえば、図4－5は「DoseRAE2」という空間線量計のマニュアルに記載されているスペックです。

この計測器は、個人線量計として用いられるものの一つですが、リアルタイムで積算線量と線量率を測定して表示します。この図は、γ《ガンマ》線の空間線量を測る場合の誤差（どれくらいの精度をもつか）と正確度（測定値がどれくらいばらつくか）を示しています。

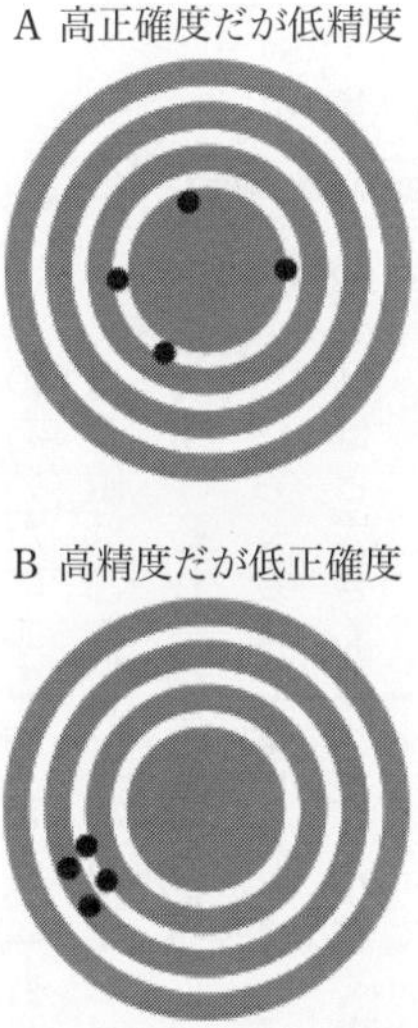
A 高正確度だが低精度
B 高精度だが低正確度
図4-4　正確度と精度

すなわち、ある場所のある時点での測定値がA Sv/h（シーベルト毎時）なら、「もしAが〇・〇一μから一〇μのうちに収まっていれば、真の値は〇・七×Aから一・三×A

Dose rate error	±30%　(0.01 μSv/h〜10 μSv/h) ±20%　(10 μSv/h〜10 Sv/h)
Accuracy	±5% (at 1 mSv/h, measured with ^{137}Cs)

図 4-5　ある計測器(DoseRAE2)の仕様(一部)

のあいだにある」、また、「もしAが一〇μから一〇のうちに収まっていれば、真の値は〇・八×Aから一・二×Aのあいだにある」ということを示しているのです。そして、正確度については、「もし測定中に環境中での放射線の強さがしばらく変化しないとして、そのあいだに再度測ったとしても、画面の値が五%ほど大きくなったり小さくなったりすることがある」ということを示しています。

有効数字、較正

たとえば、「市販の一㎜目盛りの定規で、ある長方形の縦横を測ると(目分量で目盛りの一〇分の一まで読み取ると)、それぞれ一二・七四㎝と五・六三㎝となった。その長方形の面積を計算せよ」といった場合に、面積の数値を「(一二・七四×五・六三＝)七一・七二六二㎠」としてはいけません。測定値で示される小数点第二位の値は目分量であるがほぼ信頼できる数字だとしても、小数点第三位の数字がどうなるかはまったくわからないですし、得られた面積の小数点第三位以下の数字など正確さを保っているわけがないと考えられます。したがってこの場合、五・六三という有効数字の桁数が三桁と小さくなっている方にあわせて、面積は三桁に丸めた七一・七cm²を採用します。

もう一点、計測器の扱いで見逃せないことがあります。それは、経年変化で計測器の特性が変化するということです。使用状況もそれに影響を与えます。つまり、最初保証されていた正確度は次第に失われるのです。

そこで、計測器に表示された値が、基準となる正しい値に比べてどれだけ一致しているのか(正しい値からどれだけずれているのか)を測定して調べ、計測器が正しい値を表示するように調整することが必要となります。

これを「較正《こうせい》」(キャリブレーション)と言い、定期的に計測器を較正にかけていることが、その計測器で正確なデータが得られていることの重要な保証となります。較正は計測器を製作したメーカー、もしくはそれに関連する業者でしか行えませんので(証明書が発行されます)、通常はそうしたところに依頼するしかありません。結構高額なことが多いのが悩ましいところですが、民間で協力しあって較正作業をすすめた例もあります。

4　統計データを利用する

統計を活用する

リスクにかかわる調査をすすめるなかでは、さまざまな統計データを調べ、それを事実として引用したり(たとえば「現在日本では○○という種類の農薬が年間△△キロ使用されている」といったたぐい)、あるいは、その数値を分析したり、ということが行われます。統計の調べ方については第2章でも解説しましたが、ここでは、リスクを調べるために統計を見るときの例を少し考えてみましょう。たとえば、次の練習問題を考えてみてください。

【練習問題10】

福島原発事故によって、どのような農産物や海産物にどのくらいの放射線量が示されたかを知りたいとします。食品の測定は、各都道府県が実施したものと、民間によるもの(各地の「市民放射能測定所」など)に大別されます。では、事故後八年間の農産物・海産物の放射線計測データはどこに集約されているでしょうか。もし集約されていないとすれば、八年間のデータの推移(たとえば、基準値を超えて出荷制限になった品目を、地域ごとにその時期を把握すること)は、どのようにして知ることができるでしょうか。

福島原発事故の後、国によって食品中の放射性物質の基準値が導入され、それを受けて各自治体で検査が始まり、出荷制限される農産物や海産物などが数多く出ました。行政がすすめる検査のあり方では十分ではない、と考える民間の事業者や市民たちが自主的に測定した例も数多くあります。ここでは、単にデータがどう集約されているかを確認するにとどめますが、こうした食の安全を確保するために数年間にわたってなされた放射線計測活動は、今後起こるかもしれない原発事故への対策にも生かすべき貴重な科学活動であることを強調しておきます。

まず、食品ならびに食品の安全にかかわる省庁が農水省や水産庁、厚労省であることから、ネットの検索でたとえば、「放射線計測　食品　厚労省」と入れてみます。すると、上位に厚労省の「食品中の放射性物質への対応」が出てきます。ここをクリックすると、「東日本大震災関連情報　食品中の放射性物質」(https://www.mhlw.go.jp/shinsai_jouhou/shokuhin.html)のページが開き、国が実施してきた施策の説明が詳しく出ています。ページの一番下に、「食品中の放射性物質の検査」、そして「出荷制限・摂取制限」の項目があります。このうち、「食品中の放射性物質の検査」では、「月別の検査結果」、「検査結果の検索サイト」、「地域・時期・品目別の検査結果」の三項目があり、これが探しているものだとわかります。まず、「月別の検査結果」を開いてみると、全国の測定結果を、各年・各月ごとに、それぞれ一つの一覧表にしているだけでした。測定件数が膨大なので、その傾向をこの表だけからは読み取ることはできません。

そこで次に「検査結果の検索サイト」を開くと、「産地から探す」、「品目から探す」、「詳細条件を指定して探す」、「出荷制限の情報を見る」の四項目があり、ここで計測データがさまざまに分類されて整理されていることが判明します。これを使えば、「地元産(たとえば○○県○○市産)の△△という産品」について、事故後の計測開始から計測打ち切りまでの測定データが時系列でグラフによって表示されます。ちなみに、このグラフは、「全期間表示」、「過去一年間のグラフを表示」、「過去一〇〇日間のグラフを表示」、「ヨウ素のグラフに切り替える」、「対数表示に切り替える」という切り替えが可能です。

一方、各地の市民放射能測定所などに市民が食品を持ち込んで測定したデータは、それぞれの測定所がデータを所管することからなかなか集約できずにいましたが、現在は、かなりの数のデータが「みんなのデータサイト」というサイトのなかの「食」のページ(https://minnanods.

net/food/)にあり、やはり「品目」、「産地」、「期間」を絞り込んで見ることができます。

なお一般的に、統計データを調べていると、肝心のデータがとられていなかったり、別の統計調査では同じ調査項目であるはずなのに示されている数値が違っていたり、といったことに遭遇して困惑する場合があります。

そうした問題は、ある程度時間をかけて、別の文献で調べ直したり行政や業界団体の担当部署に問い合わせたりすることで、少しずつ解決していくしかありません。

5　リスクを推し量る——統計学、そして疫学の考え方

データの特徴をつかみ、「違い」のあるなしを判別する——統計学の考え方

計測したり、既存の統計から数値を集めたりしたら、今度は、その集まった数値を分析する必要があります。集まった数値データをどう分析すれば、何がわかるのでしょうか。

たとえば大気汚染の測定データについて考えてみましょう。東京都A区のB交差点付近で、大気中のNO_2(二酸化窒素)を調べたとします。一定期間のあいだに複数のデータをとった場合、その数値はばらばらな値になっていることが普通でしょう。このとき、どのような数値や分布

の仕方をもって、B交差点の周辺は汚染の度合いが大きい、あるいは小さい、といったことが言えるでしょうか。

このようなランダムな、でも何らかの傾向をもっていそうな分布は、いたるところに存在します。それらを統一的な方法論で扱って、誰がみても納得してもらえる「そのデータに特有の特徴」を明示することが必要になってきます。この方法論が統計学です。

統計学には、大きく二つの種類があります。

一つは、平均値をとったり、表やグラフを作ったりして、データの分布の特徴や傾向をとらえようとするもので、これは「記述統計学」と呼ばれます。表やグラフにすることで、集めてきたばらばらの数値が見えやすくなり、そこから何かがわかります。

もう一つの統計学は、集団のうちの一部(サンプル)のデータを調べ、そこから全体(母集団)の傾向を推計しようとするもので、これは「推計統計学」と呼ばれます。たとえば、「〇〇人の日本人男性の身長を調べて得られた△△という値から、日本人男性全体の身長を推定する」といったものです。

「推計統計学」には、全体を推計するというだけでなく、こちらの値とあちらの値には確かに差があると言ってよいかを確かめる「検定」もあります。

よく用いられる「(統計学的)有意差」は、この検定の結果を示す方法です。たとえば、薬を飲んで血圧が下がった場合、それが「確実に薬の効果」によるものなのか、あるいは単なる「偶然」や「誤差」でしかないのか、それを判断する必要があります。そこで、それなりの数のデータをとって検定を行い、薬を使った群と使っていない群とのあいだに生じた差が「有意差」なのか、つまり、単なる偶然や誤差で生じた意味のない差でないのかどうか、を調べるのです。

「タバコによる肺がんの発がんリスク」であれば、喫煙群と非喫煙群のそれぞれの集団において肺がんがどれくらいの割合で発症しているか(罹患率《りかんりつ》)を比較します。喫煙しているのに肺がんにならない人とそうでない人がいる、喫煙していないのに肺がんになる人とそうでない人がいる、という事象を比較するのです。その比較によって、喫煙がどれくらいの確率で肺がんを引き起こすと言えるのかを推定し、かつ、そのことが、データの数から言ってどれくらいの確度をもって言えるのかを調べます。

リスクの大きさを計算し原因を特定する——疫学の考え方

いまあげた「タバコによる肺がん」の例は、統計学の手法を用いてそのリスクの大きさやその大きさの確からしさを、数値化することで推し量っていこうとするものでした。この数値が大きくなれば、「タバコは肺がんの主だった原因の一つとみなせる」という因果関係が特定できることになります。

このように、統計学的手法を用いて私たちが抱えている健康にかかわるリスクをできるかぎり正確に定量的にとらえようとするのが「疫学」です。健康被害の生物学的メカニズムがわからなくても、「疫学」の手法によって、ある程度まで因果関係の特定に迫ることができます。疫学は、統計学の手法を使うものの、基本的には常識的な論理の積み重ねでリスクをとらえようとするものなので、その基礎事項を学ぶことは誰でもできます。

疫学の全体を説明するのはこの本の範囲を超えてしまいますが、その考え方の一端に馴染んでもらうために、一つの研究を取り上げてみましょう。

二〇一六年一一月、「日本人でコーヒーを一日三杯以上飲む人は、脳腫瘍を発症するリスクが低くなる」との新聞報道がなされました。記事では、国立がん研究センターによる研究成果として、次のように書かれていました。

「四〇〜六九歳の男女約一〇万人に、コーヒーを飲む頻度など習慣を聞き、その後約二〇年にわたり経過をみたところ、一五七人が脳腫瘍を発症した。（中略）その結果、一日三杯以上飲む人は、一杯未満の人に比べて、脳腫瘍の発症リスクが五三％低かった。（中略）緑茶についても同様に調べたが、関連は見られなかった」（『朝日新聞』二〇一六年一一月六日付）。

この記事のもとになったのは、国立がん研究センターの研究者らによる次の論文でした。論文はオープンアクセスで、誰もが読めるものとなっています。

Ogawa T, Sawada N, Iwasaki M, et al., 2016, "Coffee and green tea consumption in relation to brain tumor risk in a Japanese population", *International Journal of Cancer*, 139(12): 2714-2721

この論文は、日本人のコーヒー摂取や緑茶摂取と脳腫瘍の関係について疫学的に研究したものです。この論文を概観しながら、疫学の方法について馴染んでみましょう。

コホート研究と症例対照研究

まず論文では、調査方法について書かれています。「一〇万六三二四人（男性五万四三八人、女性五万五八八六人）の四〇〜六九歳（調査開始時点の年齢）の被検者のコホート」を対象に一九九〇年から二〇一二年まで調査された、とあります。

「コホート」とは、調査のために一定期間追跡される集団のことを指します。このコホートを追いかけて調査する研究手法を「コホート研究」と言い、疫学の代表的な手法の一つです。

コホート研究は、何らかの特定の因子に曝露している特定の集団(曝露群、この研究ではコーヒーや緑茶をたくさん飲んでいる人たち)と、そうでない集団(非曝露群、コーヒーや緑茶をあまり飲んでいない人たち)を観察対象とし、それらを比較しながら一定期間、追跡観察し、そのことによって疾病と当該の因子(この場合だとコーヒー摂取や緑茶摂取)との関連を調べる、という手法です。この先の経過をみながら調べるので、「前向き」の研究であると言われることがあります。

コホート研究の一番わかりやすい例は、さまざまな喫煙状況にある人をずっと追跡調査して肺がんがどう現れるかを調べる調査でしょう。タバコのなかの発がん物質が何であるかがわからなくても、「たくさん吸う人とそうでない人を多数の集団で長い年月追いかけたら、前者の方に後者よりも肺がんになる人が明らかに多く出てきた」ことがはっきりすれば、喫煙は肺がんの原因だと断定できます。

一方、コホート研究と並ぶもうひとつの代表的な疫学の手法に、「症例対照研究」があります。症例対照研究とは、すでに疾病を抱えてしまっている患者群(症例群)と、そうでない非患者群(対照群)のそれぞれに対して、過去に生じた曝露状況(喫煙の研究だと喫煙状況)を調べて比較することで、曝露と疾病発生の関連を明らかにします。つまり、「疾病発生→曝露」という「後ろ向き」の研究手法になります。

喫煙と肺がんの例で言うと、「肺がん患者とそうでない人の、それぞれ多数の集団で、全員の過去の喫煙状況を調べてみたら、肺がん患者のほうに喫煙する人の割合が明らかに大きかった」と示せれば、喫煙は肺がんの原因だと断定できます。因果関係を示していく疫学の手法として、コホート研究と症例対照研究は裏表の関係になっていることがわかると思います。

さて、この論文では、日本人のコーヒー摂取や緑茶摂取と脳腫瘍との関係についての研究ですから、母集団は日本人全体ということになります。サンプルとして選ばれたコホートはできる限り母集団を代表するように抽出される必要があります。この研究では、全国各地(岩手から沖縄まで)の保健所から一〇カ所を選び、さらにそれぞれの保健所から被検者を無作為抽出で選んで、全体で一〇万人を超えるサンプルサイズにしています。このサイズなら、標本抽出の際に生じる偏りをかなり小さくしていると考えることができます。

標本サイズを大きくしてデータをとればとるほど誤差は小さくなり、精度は高まります。しかし、やみくもにたくさんデータを集めればいいわけではありません。調査の目的に応じた必要なデータの精度を考え、そのデータの精度を出すのに必要な調査量を決めることが肝心です。

総務省統計局の「標本調査とは?・」(https://www.stat.go.jp/teacher/survey.html)には、どのくらいのサンプルを調べればいいのかなどが、わかりやすく書かれていますので、参照してください。

二つのグループの比較、交絡因子

ところで、対象としている曝露因子(この場合はコーヒー摂取や緑茶摂取)と特定の疾病(脳腫瘍)の発症との関係をみようとするとき、ほかの曝露因子の影響をどううまく排除しておくかが重要になってきます。

この論文ではコーヒーや緑茶を飲む頻度で、「週に四日以下飲む人」、「一日一~二杯飲む人」、「一日三杯以上飲む人」の三つのグループにわけていますが、そのグループ間で、年齢、体重、喫煙量、飲酒量、糖尿病の既往歴、アレルギーの既往歴に大きな差が出ていないことを確認したり、あるいは出ないように「調整」したりしています。ただし、たとえば、コーヒー好きは、コーヒーをあまり飲まない人に比べてパンを多く食べたり辛いものを好んだりする傾向があって、パンや香辛料の何らかの成分が脳腫瘍を防いでいるのかもしれない、ということがあるとするなら、この調査においてコーヒー摂取量が影響していると見えるものが、じつは見かけにすぎない、ということにもなります。

このように、私たちが気づかないところで、調べたい曝露因子と疾病発症の両方に関係して影響を与えている可能性がある因子のことを、「交絡因子《こうらく》」と呼びます。疫学調査では、交絡因子にどう目配りしてうまく制御していくかが重要になります。

さらに、この研究では、「コーヒーと緑茶」の二つを調べているので、「コーヒーだけが脳腫瘍のリスクを減らした」としているからには、その二つの曝露因子を切り離して調べているはずです。論文を読むと、コホートへのアンケート調査・食事調査のデータを使って、「コーヒーの摂取と緑茶の摂取にどれくらいの相関があるのか」を調べたうえで、それぞれのグループのなかで大きな偏りが出ないようにしています。

ハザード比とリスク比

さて、そうした調整をしたうえでの、この研究の結果はどうだったのでしょうか。コーヒーや緑茶の摂取と脳腫瘍発症とのあいだには関係があったのでしょうか。

この研究の結果は、表4-1に表されています(元の論文の表を簡略化させています)。

まず、通常の研究では全体でどのくらいのサンプル数を扱ったのかを示しますが、この研究では「人・年」が示されています。この研究における観察期間は、「アンケートの回答があった時点から脳腫瘍と診断された、あるいは(他の原因で)死亡した、あるいは他の地域へ転出した、あるいは研究期間が終了した時点まで」を個々人についてとることになり、人数とそれぞれの観察期間をかけあわせたものの総計が「人・年」の数字です。仮に一〇万人の被検者全員が一〇年間の観察期間をもつと、一〇〇万人・年になります。そして、二〇年に及ぶコホートの追跡期間中に、脳腫瘍を発症する人が現れれば、その人を「症例」として扱っています。その症例数も表に示されています。

さて、この表でいちばん重要なのは、「ハザード比」のところです。

「ハザード」とは、ある一定期間のあいだに「死亡」、「発症」など、研究において評価したい事象(イベント)が起こる確率のことです。より正確には、ある単位期間内にイベントが起こった――つまり死亡したとかかその疾病に罹《かか》ったことが確定したとかの――人数を、その期間の直前の生存者数で割った値です。

「ハザード比」とは、二つのグループ

リスクとの関係

1日3杯以上	P値
8	
214,259	
0.48(0.23-1.00)	0.13
6	
207,735	
0.38(0.16-0.88)	0.07

1日3杯以上	P値
88	
969,380	
1.07(0.70-1.62)	0.71

表 4-1　コーヒーおよび緑茶の摂取と脳腫瘍の

	コーヒー摂取	
	週 4 日以下	1 日 1〜2 杯
脳腫瘍症例数(N＝155)	102	45
人・年	1,119,005	510,687
ハザード比(95%信頼区間)	1.00(ref)	0.99(0.68–1.45)
糖尿病既往歴者を除いた場合：		
脳腫瘍症例数(N＝144)	93	42
人・年	1,061,357	494,972
ハザード比(95%信頼区間)	1.00(ref)	0.97(0.66–1.44)
	緑茶摂取	
	週 4 日以下	1 日 1〜2 杯
脳腫瘍症例数(N＝155)	37	30
人・年	471,656	403,278
ハザード比(95%信頼区間)	1.00(ref)	0.96(0.58–1.59)

出典：Ogawa et al.(2016)の表 2 を簡略化したもの

の「ハザード」間の比率です。ベースとなる条件の人たちのハザードを一とした場合、対照する群の人たちのハザードがいくらになるかを、ハザード比として示します。

この研究の場合、コーヒー摂取が週四日以下の人が脳腫瘍にかかるというハザードを一とした場合、コーヒー摂取一日一〜二杯の人たちや一日三杯以上の人たちが脳腫瘍にかかるハザードがいくらになるかを計算しています。これがこの研究でいちばん知りたかったところです。

この研究でのハザード比は、発症するまでの時間を考慮した分析方法である「コックス比例ハザード回帰モデル」というモデルを用いた統計学的な計算によっています。

疫学では、このように、ある因子と特定の疾病の関係を、二つの被検者グループにわけて調べ、そのあいだの差を比較するのですが、そのときの研究方法や目的によって、今回のような「ハザード比」を調べることもあれば、「リスク比」あるいは「オッズ比」というものを調べることもあります。

オッズ比は、あるイベント(たとえば、肺がん)を評価する場合、ある時点で区切って、その時点での標本集団(たとえば喫煙者と非喫煙者)でのオッズを比較します(それぞれで、肺がんを発症「する」確率をそれが発症「しない」確率で割り、その二つの値を比較します)。この「する」、「しない」はイベントが発現した後から標本を抽出してはじめてわかるわけですから、「後ろ向き」研究(その代表が症例対照研究)で用いるのは主にオッズ比になります。

厳密に言えばオッズは、リスク、すなわち「ある一定期間に(好ましくない)イベントが発現する確率」と同じではないので、それぞれの比であるオッズ比とリスク比も違ってきます。そこで、症例対照研究ではオッズ比をもって「リスク比」(「相対危険度」とも言います)に代用させています。

一方、ハザード比は、たとえば喫煙者と非喫煙者でがんを発症する時間や死亡する時間に差があるのかどうか（あるいは、ある薬を服用した人とそうでない人で病状が回復した時間に差があるかどうか）といった、追跡期間中にイベント発現までの時間を評価する「前向き」研究で用いられます。

さて、そのハザード比の結果ですが、表を見ると、コーヒー摂取一日三杯以上の人のハザード比は〇・四八と、かなり低くなっています。さらに、糖尿病既往歴と脳腫瘍発症のあいだには関係があることが知られているので、その影響を排除するために、糖尿病既往歴者を除いた場合のハザード比を見てみると、コーヒー摂取一日三杯以上の人のハザード比は〇・三八と、さらに低くなっています。

九五％信頼区間とP値

しかし、これはあくまでサンプルにした人たちから得られた数字なので、日本人という母集団全体で考えるとどうなるのか、をもう少していねいに表現したものが「九五％信頼区間」です。「信頼区間」とは、統計学的な計算によって、だいたいこの範囲に収まっているだろうという「幅」を示すものです。その幅の大きさの程度によって、統計分析の結果がどのくらい信頼できるか、その精度を示します。

この表では、コーヒー摂取一日三杯以上の人のハザード比について「信頼区間が〇・一六から〇・八八」となっています。これは、〇・三八というのはあくまでサンプルから分析した推定値であって、日本人全体での本当の数字は、九五％の確度で〇・一六から〇・八八の幅のなかのどこかに収まっているということを示すものです。サンプル数が多いと、この幅は当然小さくなってきます。ここでは、「〇・一六から〇・八八」という大きい幅ではありますが、最大値の〇・八八でもコーヒー摂取が週四日以下の人の「一」よりは小さいので、週四日以下の人と一日三杯以上の人のあいだでは脳腫瘍発症率に差が「ある」とほぼ言えるだろう、ということになります。

一方、緑茶摂取については、同様のハザード比が一に非常に近く、緑茶摂取により脳腫瘍発症率の差があるとは言えないだろうことが、この研究では示されています。

さらに、二つのグループに明らかな差があるかどうかを統計学的に示す「P値」も、ここでは計算されています。P値はこの場合、二グループ間の脳腫瘍発症率が「違っていない確率」(この二グループの差が偶然によって生じたとみなせる確率)です。ここでの、コーヒー摂取週四日以下の人と一日三杯以上の人のあいだでのP値は〇・〇七(七％)です。この値は十分に小さい、つまりは「違っている」だろう、ということが言えます。

ちなみにP値は、通常〇・〇五以下（$p < 0.05$と表現します）で「統計学的有意差」があるとされます。しかし、P値は、サンプル数が十分でないと大きく、サンプル数が大きいと自動的に小さくなりますので、P値だけで差のあるなしを判断してはいけない、とよく言われます。

また反対に、統計学的な有意差が認められなくても、「差がない」とは断定することはできません。さらに、統計学的な有意差があったとしても、それが意味のある差なのかどうかは別問題であることにも注意しなければなりません。

どうでもよい差であっても、サンプル数さえ増やしていけば「統計学的有意差」が検出される可能性も大きくなります。しかし、そのことは、意味のある差であるかどうかとは違うのだ、ということは注意をしておく必要があります。

以上、一つの論文を解説しながら、疫学や統計学の考え方の一端を解説しました。もちろんこれは一端にすぎません。もっと勉強したい方は、わかりやすい解説書がいろいろ出ていますので、それらを参考にしてください（五十嵐中・佐條麻里『「医療統計」わかりません!!』（東京図書、二〇一〇年）など。医療統計の入門書は、疫学や統計学の入門書として、わかりやすく書かれているものが多くあります）。

自分で疫学的な調査をしないにしても、そうした論文を読んである程度理解できないと困ることが多いのです。手頃な入門書で基本的な考え方には馴染んでおくとよいでしょう(M. Harris, G. Taylor 著、奥田千恵子訳『たったこれだけ! 医療統計学』(金芳堂、二〇一五年)は、疫学論文など、統計学を用いた論文を素早く読み解くためのガイドブックとして便利です)。

第5章　データ整理からアウトプットへ

1　フォルダによる整理

フォルダとインデックス

ここまでで、あなたは多くの情報を集めることができました。手元には、さまざまなところから集めた資料や文献が山のようにあります。紙媒体のものもあれば、電子データのものもあります。統計から拾ってきた数値データ、あるいは、測定による数値データもたくさん集まりました。さらには、聞き取り調査をまとめたものもかなりの量になりました。

これらを、どう活かしていけばよいでしょう。

まずは紙媒体の資料や文献について考えてみましょう。紙媒体の資料の特徴は、形状も分量もばらばらなことです。ホチキスでとめたものもあれば、冊子状になっているものもあります。まずは整理です。しかし、整理自体が私たちの目的ではありません。簡単にできる整理で、しかも、いつでも中身が取り出せるような整理をめざします。

使うのは、二つ折りフォルダです。二つ折りの厚紙に山がついたもので、写真(図5-1)のように、山のところが長いものが使いやすいでしょう(写真のフォルダはコクヨのA4-2F-1Y)。この山のところに、インデックス(見出し)を付けます。

たとえば「富士山」に関する資料なら、「富士山」と書きます。おすすめするのは、このとき、インデックスをカタカナ読みしたときの最初の三文字を書いておくことです(このあと述べる「山根《やまね》式袋ファイル」のアイデアです)。「富士山」なら「フジサ」です。こうすると、アイウエオ順で並べることが簡単になります。たくさんのフォルダから「富士山」のフォルダを抜き取ったとき、あとで戻すのにも便利です。

二つ折りフォルダのかわりに角封筒を使うという手もあります。これはジャーナリストの山根一眞《かずま》さんが考案したもので「山根式袋ファイル」(図5-2)と命名されています。市販されている角2の封筒の上何センチかを切り取り、横にしてその左上に、二つ折りフォルダと同様にインデックスとカタカナ三文字を書きます。二つ折りフォルダに比べてずいぶん安上がりにな

図 5-1　二つ折りフォルダによる整理

図 5-2　袋ファイルによる整理

ります。

このフォルダのインデックス付けには、そんなに悩む必要はありません。たくさん並んだフォルダを斜め上や斜め前から眺めれば、インデックスは一覧できます。

作ったフォルダをアイウエオ順に並べるか、分野別に並べるか、時系列で並べるかは、調査研究の質やフォルダの量にもよるでしょう。フォルダのインデックスの視認性《しにんせい》さえよくしておけば、膨大な量にならない限り、どんな順で並べても、ざっと見ればだいたい見つかります。そのためにも、フォルダは、引き出しのなかとかではなく、奥行きのある本棚など、オープンなところに並べておくことをおすすめします。

すぐに見返せるように

フォルダに入れて整理することには、いくつかの意味があります。

まず第一に、集めてきた資料、データの全体を把握し、分類するということです。まずは自分が何をどこまで集めてきたのか、その全体を把握し、それがどういう「くくり」のものとしてまとめられるのか、を考えた結果がフォルダでの整理です。「分ける」こと、「分類する」ことは、調べることの本質です。

とはいえ、あまりこの分類に頭を悩ませることは得策ではありません。というのも、分類はあとで修正することができますし、フォルダでの整理は仮の分類で十分だからです。

フォルダ整理の第二の意味は――こちらのほうがはるかに重要なのですが――、いつでもその資料、データを取り出して見返せる体制をつくるということです。集めてきた資料は、何度も見返して初めて意味をもちます。資料やデータをただため込んでも意味はありません。集めたものを反芻《はんすう》し、新たな問題を発見していく作業こそが重要です。そのためにも、集めてきたものをいつでも素早く見返せるようにしておく必要があります。

分類も、インデックスも、そのためのものだと考えてください。

電子データはどう整理するか

集める資料は、今日ますます電子データの比重が大きくなっています。行政資料の多くはP

DFで手に入るものが多いですし、記事・論文も多くのものがPDFで入手できるようになりました。統計データも多くはエクセルの表データになっています。

これらは、どう整理したらよいのでしょう。つまり、分類し、いつでも見返せるようにしておく、という考え方は紙媒体のものと同じです。

電子データの場合は、PC上のフォルダでの整理になります。適切なフォルダを作ってそこに整理します。

電子データの欠点は、ファイルを一つひとつ開けないと中身が読めないことで、そのため紙媒体より一覧性に欠けます。いろいろなデータを続けてパラパラめくってみる、ということが不得意だということです。それを補うために、ファイル名を、中身を十分に示唆するようなものにしておきます。たとえば、論文ならば、「宮内泰介2016政策形成における合意形成プロセスとしての市民調査.pdf」というふうに、書誌情報（著者名や論文名など）をそのままファイル名にしておくのがおすすめです。また、Windowsのエクスプローラーで「プレビューウィンドウ」を使うと、多くのファイルの中身をさっと見ていくことが可能です。

PC上の複数のファイルの中身を一気に検索することは通常簡単ではないのですが、KWIC

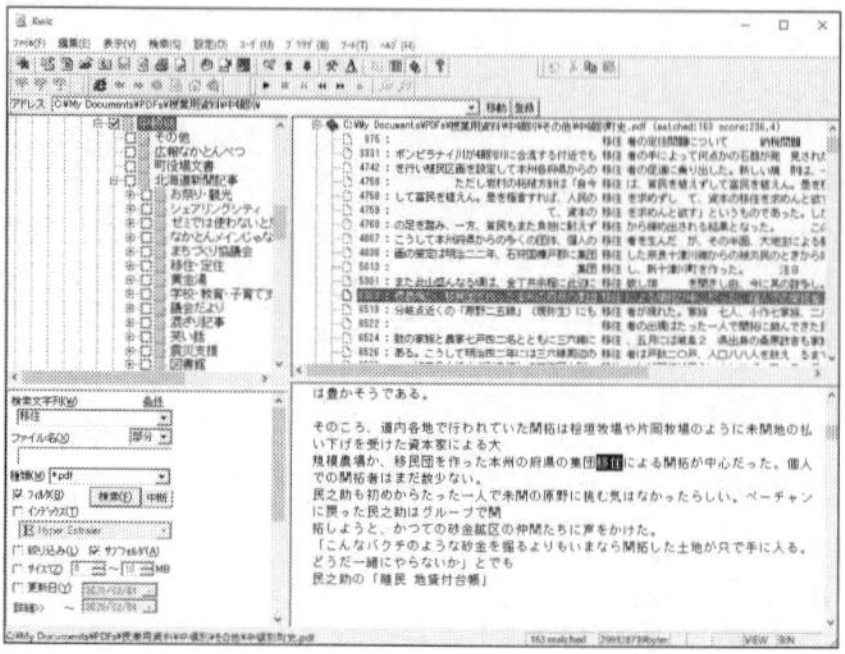

図 5-3　KWIC Finder

Finder（一〇〇〇円）というソフトを使うと簡単にできてしまいます。

KWIC Finder は、たくさんのワード・ファイル、エクセル・ファイル、そしてPDFファイルの中身について一度に文字検索してくれる、たいへん便利なソフトです。たとえば、フォルダ内にあるすべてのファイルについて、ある言葉で検索すると、ヒットした部分が、前後の文を含めて一覧表示されます。ただファイルを探す、というだけでなく、その言葉がどこでどんなふうに出現するのかが一覧できるのです（図5−3）。

電子データの整理のもう一つのやり方として、少々強引な手ですが、電子データを印刷して紙媒体にしてしまうという手もあります。紙媒体にして、それを先の二つ折りフォルダや袋ファイルに入れておく方法です。これだと、紙媒体と電子データの双方を行ったり来たりする手間もなくなり、また、やはり紙ならではの一覧性にもすぐれ、便利です。欠点は、いうまでもありませんが、紙の無駄遣いであること、ますます物理的なスペースが必要になることです。
別のやり方は、電子データを一覧できるようなツール、たとえばEvernoteを使うというやり方です(図5-4)。

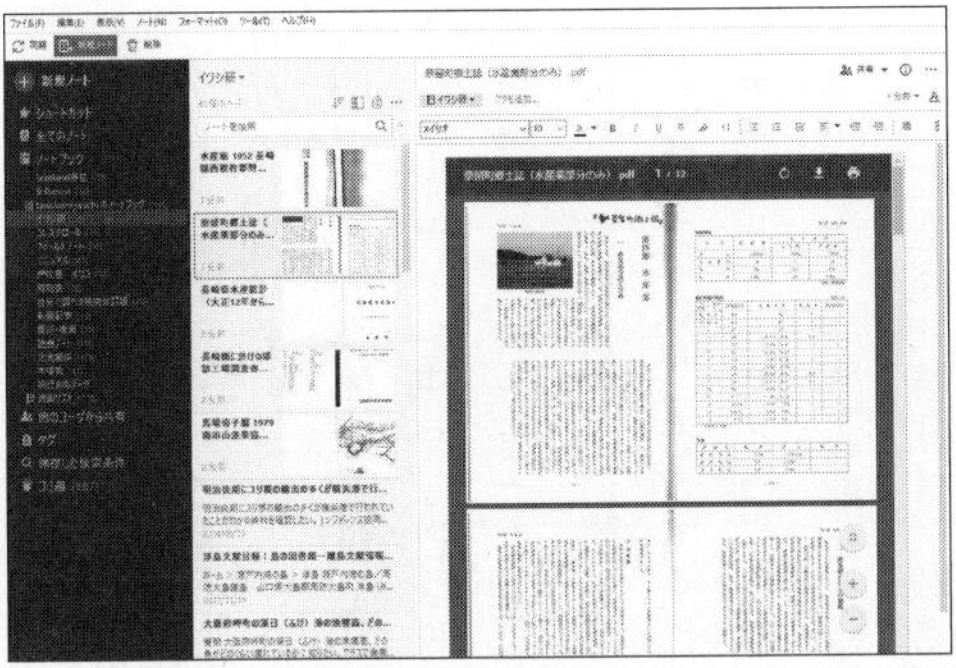

図5-4　Evernote

Evernoteは、一つひとつの情報を「ノート」に入れておき、その束の「ノートブック」で整理するというツールです。ファイルよりもむしろ、ネットサイトの情報などを直接コピーして貼り付けるような使い方に適していますが、ファイル(ワード、エクセル、PDFなど)をノートに貼り付けることもできます。

Evernoteは、先ほどの紙媒体のものをどんどんフォルダに入れて整理するやり方にたいへんよく似ていますし、あとで触れる「カード」の考え方にも近いです。Evernoteに入れたファイルの中身の言葉を検索することも、簡単にできます。ですから、分類はそれほど気にせず、どんどん「ノート」に放り込んでいけばよいのです。

紙の資料を電子データ化する

先ほど、電子データも印刷して紙媒体にしておく方法を書きましたが、これとまったく反対の方向もあります。つまり紙媒体を電子データにしてしまう、というやり方です。スキャナーを使って、紙媒体の資料をＰＤＦにする方法です。

スキャナーを使ってＰＤＦにする、というとめんどうだと感じるかもしれませんが、最近のドキュメントスキャナー（富士通のScanSnapやキヤノンのimageFORMULAなど）は手軽に使えるようになっています。付属しているソフトが大変便利で、ほとんどの機種で、スキャンと同時に文字認識（ＯＣＲ）をしてくれます。ＰＤＦにしてくれると同時に、そこに書かれてあった文字をテキストデータとしてＰＤＦに埋め込んでくれるのです。これにより、文字検索をかけることもできます。読み取った複数の資料のＰＤＦを、先ほどのKWIC Finderで横断的に検索をかけることもできます。枚数がそれほど多くなければ、スマホのスキャン・アプリでも同様のことができます。

資料をＰＤＦにしてしまうと、もともとＰＤＦだった文献や資料とともに、ＰＣなどに入れて持ち運ぶこともできます。筆者（宮内）は、文献や資料を何でもかんでもＰＤＦにして、それをｉＰａｄに入れ、GoodReader というＰＤＦリーダーを使ってどこでも読める状態にしています。従来フィールドワークにたくさんの紙資料を持っていくことはむずかしかったのですが、こうすることで、それが可能になりました。

クラウドストレージを利用する

電子データの利点は、どこにでも「置ける」ということです。集めた情報がどこかに集約されていていつでもアクセスできること、とくに、チームであればチームの誰もがそれに簡単にアクセスできることは、調査活動において重要なことです。

Google ドライブ、Dropbox、OneDrive、ＭＥＧＡ(https://mega.nz/)といったクラウドストレージは、その点で威力を発揮します。先ほどの Evernote も、クラウドサービス利用の一つで、したがって、ＰＣからでもスマホからでもアクセスできるのが便利なのですが、さらには、チームで Evernote の一部を共有することもできます。セキュリティに十分注意しながら、ということになりますが、データの集約や共有に、クラウドを活用しない手はありません。

2　表やカードにしてデータと対話する

データと対話する

さて、以上のような整理は、もちろんそれで終わりではありません。私たちの目的はそれらを「使う」ことです（図5－5）。

私たちは、調べたこと、集めたデータから何がしかのことを考えたいのです。そのためには、整理した資料やデータを見返し、分析するという作業が必要になってきます。見返すことによって、たくさんの気づきがあります。聞き取りノートを見返してみると、聞いたことすら忘れていたような内容を再発見し、あとで調べたことと合わさって、「そうか！」と思うことがあります。最初のころに集めた統計データも、いろいろ調べたあとに見てみると、当初気がつかなかった点に注意が行きます。

このように、資料やデータを改めて見ながら考える、別の言い方をすると、資料やデータと「対話」をすることにこそ、「調べる」ということの本質が含まれています。

資料を見返しもしないで、覚えている範囲だけで考えようとすると、狭い考えに陥りがちで

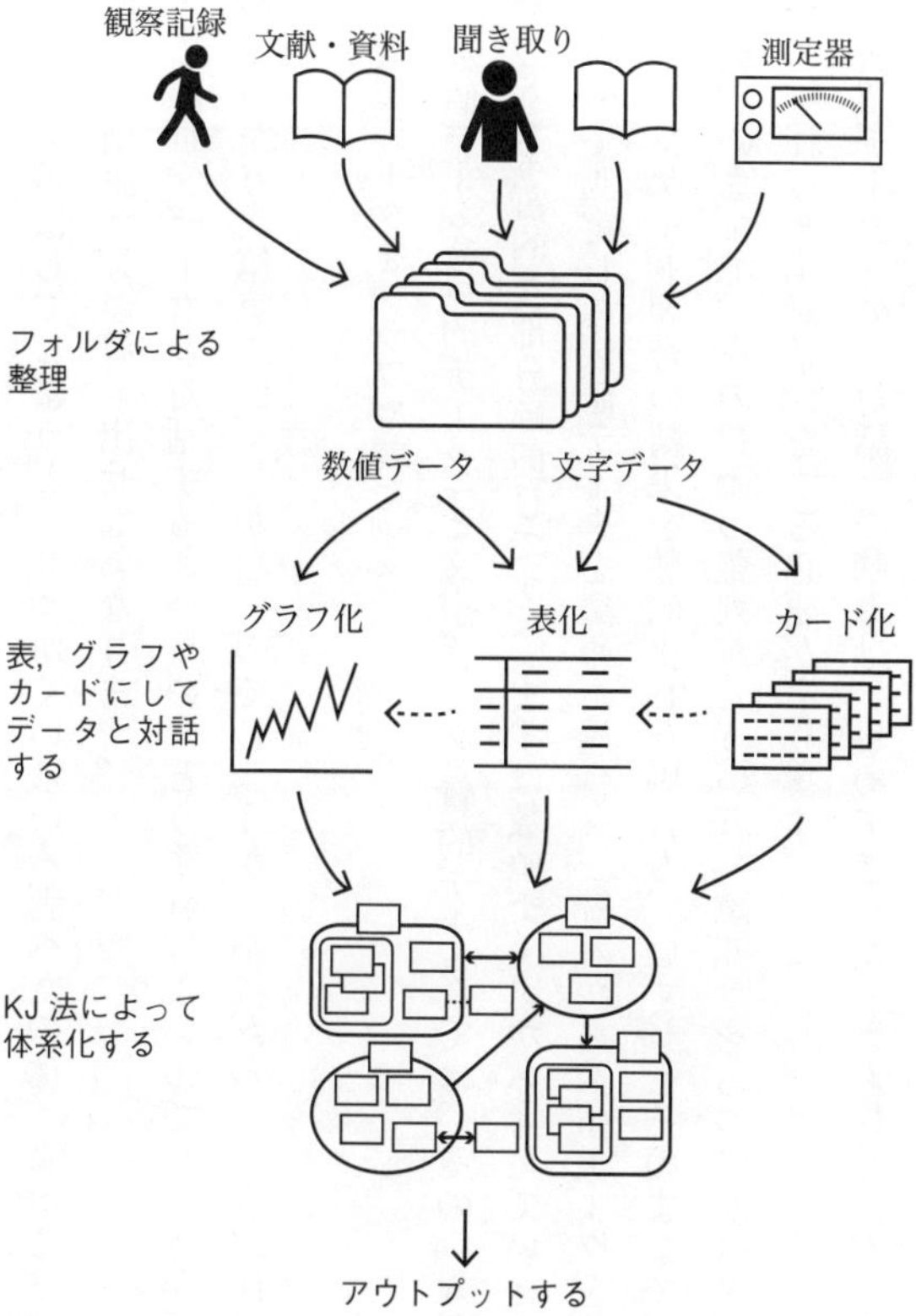
観察記録
文献・資料
聞き取り
測定器
フォルダによる
整理
数値データ
文字データ
グラフ化
表化
カード化
表，グラフや
カードにして
データと対話
する
KJ 法によって
体系化する
アウトプットする

図 5-5　整理・分析の 4 つの段階

す。データとていねいに対話することで、思考が立体的になります。ていねいな対話というプロセスを飛ばしてしまうと、せっかくいろいろ調べたのに、調べるまでもないような単調で陳腐な「結論」しか導き出せなくなります。

しかし、データと対話するというのはどうすればよいのでしょうか。たくさん集めたデータを手当たり次第見ていくしかないのでしょうか。系統だって行う方法はないのでしょうか。

数値データをグラフや表にする

数値データ(量的データ)と文字データ(質的データ)では、その「対話」の方法が少し違うので(でも本質的な部分は同じです)、まずは数値データから考えていきましょう。

自分で測定して数値データを集めた場合も、統計から数値データを集めてきた場合も、あるいはアンケート調査の結果を数値化した場合も、いずれもそのままではまだ「生《なま》」のばらばらな数値のままで、その数値の羅列がどういう「意味」をもつのかは不明のままです。したがって、それらと「対話」をする必要があります。

数値データとの「対話」の基本は、集めてきたたくさんの数値が、全体としてどのようなパターンの分布を示すのかを見いだしていく作業になります。一見規則性のないばらばらに見える数値のなかに、何らかのパターンがないだろうか、何らかの意味づけはできないだろうか、と探していくわけです。

とはいえ、ただただ数値を眺めているだけでは、それはわかりません。そこで、グラフにする、あるいは、表にするといった技法を使います。さらには、統計学的な分析にかけたほうがよいという場合もあります。

たとえば、ある建物の建設計画について周辺の一一〇人の住民の意見を網羅的に集めてみると、賛成、どちらかというと賛成、反対、賛成、反対、強く反対、どちらでもない、条件付き賛成、どちらかというと反対、反対、積極的賛成、……といったように、ばらばらでした。このばらばらなままでは、データが意味するところがはっきりわからないので、これらを、賛成、どちらかというと賛成、どちらでもない、どちらかというと反対、反対の五つにわけて、集計してみました。そうすると、表5-1のようになりました。

表5-1　単純集計してみる
（建設計画への態度）

	人数
賛成	15
どちらかというと賛成	29
どちらでもない	7
どちらかというと反対	25
反対	34
合計	110

こういう簡単な集計のしかたは「単純集計」と呼ばれますが、「単純」であるものの、こうした整理だけで、ばらばらなままのデ

ータに比べれば、格段に、何か見えてくるのです。
ただし、表のままでは少し直感的にわかりにくいので、たとえば円グラフにしてみましょう（図5-6）。円グラフにすると、いくらか直感的にわかりやすくなります。

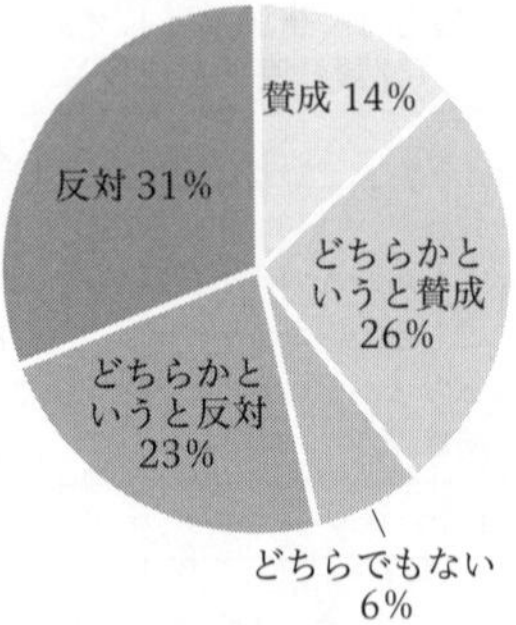

図5-6　円グラフにしてみる（建設計画への態度）

さらに、住民たちの性別もわかりましたので、性別と意見をかけあわせて「クロス表」を作ってみたら、表5-2のようになりました。「クロス集計」は、単純集計に比べ、さらにもうひとつの変数を加えたうえで分析する技法です。性別だけでなく、年齢でもクロス集計してみる、また、居住地区別でもクロス集計してみる、といったことをいくつかやってみると、また見えてくるものがあるはずです。

表5-1のような単純集計表は、データを一方向で整理するものです。それに対し、表5-2のようなクロス集計表は、データを二方向で空間的に整理するものです。方向を一つ加えるだけで、表の分析力がぐっと上がるのです。

このように、ただ数値がばらばらにある状態ではわからないことが、表にしてみると、何か「見えて」きます。同じ数字の羅列から、いろいろな表を作ってみることによって、さまざまなことが見えてくるはずです。

「見えてくる」と言いましたが、表にするというのは、人間の視覚の範囲内で見える状態にしてやる作業です。人間の認識においては、視覚的にすることが分析をうながします。したがって、分析をうながすには、パッと見てわかるような状態にするのがいちばんで、このあと述べるすべての分析手法は、そうした「パッと見てわかる状態にする」ものです。

表 5-2　クロス集計してみる(建設計画への態度)

	男	女	合計
賛成	13	2	15
どちらかというと賛成	13	16	29
どちらでもない	4	3	7
どちらかというと反対	9	16	25
反対	12	22	34
合計	51	59	110

ところで、表5−2をもう一度見てみると、この建設計画について男女でやはり差があるように思えます。しかし、本当に男女で差がある、と断言できるかどうか、この表からだけではちょっと自信がありません。そういうときに使われるのが、前の章でも触れた「検定」という統計学の手法です。

この例のような、二つのあいだの差が本当にあると言えるのかどうかということを確かめるためには、「カイ二乗検定」という検定がよく使われます(エクセルで簡単にできます)。

詳しい説明はここでは省略しますが、カイ二乗検定をやってみると、このデータが「男女間の差がない」ということを示している確率は一・一七％(p＝0.0117と表記します)だということがわかり(正確に言うと、このデータについて男女間の差がないと仮定した場合、その仮定が正しい確率が一・一七％)、これは、たいへん小さいので、やはり差がある、ということになります。通常「五％以下」だと十分に小さい、ということになり、「統計学的有意差」がある、と言うことができます。これを$p<0.05$と表します。

地図にデータを落としてみる、というのもよく行われる方法です。賛成、反対について、同じ建設計画周辺地域でも、地区ごとによって違いそうだということがわかりました。そこで、地区を六つにわけ、それぞれの地区の賛成、反対の円グラフを地図上に置いてみました。それを眺めていると、建設地区のすぐ近くと、意外にもいちばん遠い南側の地区に、反対が多いことが見えてきました。あるいは六つの地区では小さな差異が見えにくいと考え、一五の地区に小分けし、地図も作ってみました。しかし、六つの地区で地図化したのに比べて、とくに大きな発見はありませんでした。

このように、表にする、グラフにする、地図にする、あるいは統計学的な検討を施す、といった作業は、調査した結果を示す方法というよりも、むしろデータとの対話のしかた、分析の方法なのです。その本質は、全体を何らかの圧縮された形(ここでは表やグラフなど)にしてやり、直感的にわかりやすい形にする、つまりは、パッと見てわかる状態にする、ということです。そのことはじつは、このあとで述べる文字データでも同じなのです。

文字データを表にする

聞き取りの結果を文字起こししたもの、集めた文献や資料のなかの文章、あるいは、観察の記録、そうしたものの多くは、「言葉」からなるデータ、文字データです。数値データを量的データとも言うのに対し、文字データは質的データとも言います。

たくさんのばらばらな数値を圧縮し、表やグラフにすることで、何かが見えてくるという話をしましたが、同じことは、文字データについても言えます。文字データも、たくさんのばらばらなものを、何らかの形で圧縮し、見えやすい形にしてやることで何かが見えてきます。

文字データが数値データと違うのは、その一文一文に「意味」が含まれているということです。ですから、適当にいくつかの文字データを拾ってくれば、簡単にそこから何かが言えそうな気にもなります。自分の考えに近いものだけを意図的に拾ってくることも、できてしまいます。これは文字データを扱うときの落とし穴の一つです。

さらに、文字データがもつ「意味」はいろいろな方向性をもっており、一見無秩序です。したがって、全体としてどんな「意味」が読み取れるのかがたいへんむずかしいのです。

そこで役立つのは、やはり数値データと同様、圧縮して、一覧するという技法です。そのための一つの方法は、これも数値データと同様、表にするということです。たとえばたくさんの話をいくつかに分類し、Aという類型に当てはまる話、Bという類型に当てはまる話、Cという類型に当てはまる話、というふうにわけて表にしてみるだけでも何かが見えてくるでしょう。

さらにA、B、Cという分類だけでなく、i、ii、iiiという分類でもわけてみて、両者をクロスした表を作ると、さらに何かが見えてくるかもしれません。

文字データをクロス表にしてみる

表5-3は、地域に住むひとり暮らし高齢者の人たちにいろんな話を聞き、それをクロス表にしてみたものです(架空データです)。聞いた話の内容は、本当に多岐にわたったのですが、それを全部書き出しただけではまとまりがなく、全体として何がわかったかわからないので、それを表にして「一覧」してみようと考えました。

話を振り返るなかで、「困っている」とか「楽しみにしている」といったことが話の鍵になっていることがわかりました。あるいはとくに困ったとか楽しみにしているとかではないけれ

表5-3　文字データをクロス表にしてみる
（ひとり暮らし高齢者の聞き取り調査から）

	人に関すること	もの・サービスに関すること
困っている	•病気や体が不自由なときにすぐに来てくれる人がいない(Aさん、Hさん) •話し相手がいないので、寂しいと感じることが多い(Gさん) •息子が一人いるが、折り合いが悪く、長く交流がない(Bさん) •高齢の母が遠くの施設にいてなかなか会いに行けない(Eさん)	•通っている病院が遠い(Cさん、Gさん) •近くにスーパーがなく買い物に苦労している(Bさん、Gさん) •配食サービスを利用したいが、自分に合うものがない(Aさん) •年金収入しかなく、生活が厳しい(Fさん) •仕事をしたいが雇ってくれるところが見つからない(Cさん)
楽しみにしている	•娘がときどき来てくれておしゃべりする(Fさん) •同じ団地の仲のよい友だちと月に何度かおしゃべりする(Cさん) •行きつけの喫茶店で他の常連客と話をするのが楽しみ(Fさん) •昔の職場の友人と年に何回か遊びにでかける(Eさん)	•テレビのドラマを見るのが楽しみ(Aさん) •月に一回程度少し遠くの町に買い物に出かけ、ついでに映画を見ることもある(Dさん) •読書が趣味で、Mという作家が好き(Hさん)
日常的に行っている	•近所の人と挨拶程度はしている(Aさん、Eさん、Hさん) •遠くに住む娘に定期的に連絡を入れている(Dさん)	•健康のために毎日散歩をしている(Bさん) •毎日家の掃除をするようにしている(Fさん) •団地の役員としての職務をこなしている(Cさん)

ども、日常的にしているなにがしかのことも、話の鍵になっていることがわかりました。そこで、それらを表にしてみました。

さらにそれらは、「人」に関することと「もの・サービス」に関することにわけてみると何かがわかりそうだと考え、さきの表5−3を作ってみました。数値データで行ったのと同じクロス表です。これを作って眺めてみることで、また何かが見えてきます。表にすること自体が目的ではなく、データと対話するための手段としての表だと思ってください。そのためにも、いろいろな表を作ってみることが大事です。

また、集めた資料や聞いた話を時系列に並べてみることによっても、何かが見えてくるかもしれません。そうした場合は、年表を作る、という作業が有効になってきます。

たとえば、表5−4は、長崎県島原半島の南串山《みなみくしやま》地区と山口県の浮島《うかしま》という二つの主要イワシ産地で、資料を調べたり聞き取りをしたりしてわかったことを年表にしてみたものです(実際のものより、かなり簡略化しています)。文献に出ていた内容や現地で聞いた話などを、こうやって年表にしてみると、ばらばらな情報がつながって「見えて」くるのです。

さらに、二つの地点の年表を比べてみることで、いろいろなことが見えてきます。この年表に、両地点の漁獲量の数値データなどを加えてみると、もっと多くのものが見えてくるでしょ

表 5-4　年表を作ってみる(長崎県南串山と山口県浮島におけるイワシ漁業年表)

	長崎県南串山	山口県浮島
1910年代	1917(大正6)年よりイワシの回遊減少、大正11年より激減。(文献A)	イワシ漁の改良と発達は大正に入ってから。1918(大正7)年の漁獲高は7万円。(文献E)
1920年代	1927(昭和2)年ごろカタクチイワシの煮干し加工が始まる。(文献A)	
1930年代	1930(昭和5)年、12トン40馬力の動力船が漁船として造られる。(文献C) 1937(昭和12)年ごろ、煮干し加工にトタン製角釜導入。(文献C)	島には84のイワシ網があった。イワシは煮干しにして播州の商人に売られた。(文献E)
1940年代	1943(昭和18)年、田ノ平に共同販売所が建設され、煮干し・鮮魚集荷に利用。(文献C) 1947(昭和22)年ごろ、橘湾で「へんてこ網」が流行。(Gさんの話)	
1950年代	1952年、長崎漁連主催で商人を集めて入札を開始。(Gさんの話) 1958年、漁連による共販体制が全面確立。(文献D)	1941年生まれのIさん、中学校卒業後、家業のイワシ網を手伝い始める。(Iさんの話) イワシ機船船曳網は1953〜57年のピーク時に8カ統。乱獲と工場汚水等により水揚げは次第に減少。(文献F)
1960年代	1963年ごろ、魚群探知機を入れる。(Gさんの話) 1965年ごろ、二艘巻きから一艘巻きへ転換。(Gさんの話) 1967年に煮干し加工に大型乾燥機導入。(Hさんの話)	1961(昭和36)年ごろ不漁が続き、2カ統以外すべて廃業。(Iさんの話)
1970年代	1970年代初めころ、共同でシロブクロ(機船船曳網)を始めた。(Hさんの話) 1975年、南串山町漁協煮干加工業者会発足。(文献C)	1971(昭和46)年ごろからイワシが再び獲れ始め、パッチ網を導入して3カ統がイワシ漁を再開。(Iさんの話)

う。

時系列に一覧してみるのに対し、空間的に一覧してみる方法が、地図に落とすという技法です。数値データだけでなく、文字データも地図に落とすのが有効な場合があります。

ばらばらの文字データを、こうやって表、年表、あるいは地図にしてみることで、何かが見えてくる。これがデータとの対話であり、分析であり、調べて「発見」するということです。ばらばらな状態ではわからなかったことが、いろいろと「見えて」きます。

カードにする

文字データを表にしてみることで見えてくることがある、と書きましたが、文字データのむずかしいところは、そもそもどういう表にすべきなのかが、最初からはっきりとはわからないということです。

先ほどのひとり暮らし高齢者の例で言えば、「困っている」、「楽しみにしている」、「日常的に行っている」という類型は、じつはデータとの対話というプロセスを経ないと出てきません。この類型は、データを読み込むなかで、いろいろ考え、その結果、この三つが鍵になりそうだ、という「発見」をもとにしています。決して、最初から決めていた類型にデータを当てはめたものではありません。最初から何らかの類型を決めてデータを読み込むことは、データの大事なところを見落としかねません。

データと対話するために表にする、しかし、データと対話しないと表は作れない、となると、ますますむずかしい気がしてきます。しかし、これは文字データの特徴でもあり、よいところだとも言えます。データそのものに情報量が多く、かつ多面的で、そこからいろいろなことを考えることができるのです。

しかしそうだとすると、結局、集めた文字データを、最初から最後までもう一度ていねいに読んでいくしかないのでしょうか。もちろん、それも一つの手です。実際、最初から全部読み返しながら、マーカー(蛍光ペン)で印をつけたり、わかったことを書き込んだり、付箋《ふせん》を付けたり、というやり方は、多くの人が行っている方法でしょう。

それをしやすくするために、集めた文字データを全部コピー・印刷して、綴《と》じ、一冊の本のようにするというのも便利な方法です。一冊に綴じることで、いつでもそれを持ち歩きながら、マーカーを付けたり、もう一度前のほうのデータに戻ったり、付箋を付けたり、といったデータとの対話を効率よく行うことができます。

しかし、この方法の欠点は、付けた印や付箋から何か考えようとすると、結局またそこに戻って印や付箋を見るしかないということです。もう少しそこを効率的に行う方法、いや、効率的に、というより、先ほどから述べている、全体を圧縮して見えやすい形にしてやる、ということはできないでしょうか。表や年表、地図にする前の段階の作業をもっと体系的に行うことはできないでしょうか。

そこで登場するのが、「カード」です。

たとえば、こんな調査があるとします(以下、架空のデータです)。住宅地近くを流れる○○川について、再改修計画が現在もちあがっています。しかし、それは本当に住民が望んでいるものなのか、疑問をもつ市民たちが現れました。彼らは、実際に地域の人たちがどう考えているのか話を聞いてみようということになりました。単に再改修計画について意見を聞くだけでなく、この川と地域の人たちとの関係を広く聞こうと考えました。

ある語りからの四枚のカード

話を聞いた一人に、Nさんというおじいさんがいました。Nさんにはいろいろな話を聞きましたが、以下はその一部です。

この川ね、○○川って言うけど、ぼくらが子どものころはそんな名前では呼んでなかったよ。カニ川って呼んでた。というのもね、カニがたくさんいたからね。（みんなそう呼んでいたのですか？）さあ。子どもたちだけだったかな。あれ、自分の仲間だけだったかな？　なんていうカニだったのか、正式な名前は知らないけれど。そんなに大きくはないよ。五センチくらいかな。石の下によくいたりするから、石をひっくり返したりしてね。カニを一緒によく獲ったのは、裏の家に住んでいたヒロシだね。ヒロシはぼくの一つ学年が下でね。今はヒロシは、大阪に住んでいるよ。そうそうヒロシは、カニだけじゃなくて、フナを獲るのもうまかったなあ。一度学校の授業でフナを解剖するから獲ってこいなんてことがあってね、ヒロシに手伝ってもらって獲ったことがあったなあ。でも小さい川なのに洪水が多い川でね。昭和五十何年かのときには床下浸水までしてね。川の改修を役場に陳情したよ。しかし改修工事のせいか、あのカニもいなくなったなあ。改修がよかったことなのかどうかと言われると、あのときはあのときでしょうがなかったと思うがね。でもカニがいる川のほうがいいよね。今度の再改修計画？　よくわからないなあ。役場が説明会を開いているようだけれど、何のために工事をまた行うのかわからないから、なんとも、ねえ。

カニ川って呼んでた。というのもね、カニがたくさんいたからね。（みんなそう呼んでいたのですか？）さあ。子どもたちだけだったかな。あれ、自分の仲間だけだったかな？

〈キーワード〉
川に対する独自の命名

なんていうカニだったのか、正式な名前は知らないけれど。そんなに大きくはないよ。五センチくらいかな。石の下によくいたりするから、石をひっくり返したりしてね。

〈キーワード〉
子どものころのカニ獲りの思い出として語られる川

カニを一緒によく獲ったのは、裏の家に住んでいたヒロシだね。ヒロシはぼくの一つ学年が下でね。今はヒロシは、大阪に住んでいるよ。そうそうヒロシは、カニだけじゃなくて、フナを獲るのもうまかったなあ。一度学校の授業でフナを解剖するから獲ってこいなんてことがあってね、ヒロシに手伝ってもらって獲ったことがあったなあ。

〈キーワード〉
川の思い出と人の思い出がつながっている

でも小さい川なのに洪水が多い川でね。昭和五十何年かのときには床下浸水までしてね。川の改修を役場に陳情したよ。しかし改修工事のせいか、あのカニもいなくなったなあ。改修がよかったことなのかどうかと言われると、あのときはあのときでしょうがなかったと思うがね。でもカニがいる川のほうがいいよね。

〈キーワード〉
改修工事への矛盾した思い

図 5-7　N さんの語りからのカード

この話を四枚のカードにしてみました（図5-7）。

Nさんの話からは、ほかにもいくつかカードを作り、また他の数名の話からも、このようなカードをたくさん作りました。また、この川の歴史について書かれた資料、再改修計画にかかわる資料からも、重要と思われる部分を要約的に抜き出してカードを作りました。

そうやって作ったたくさんのカードを、大きな机の上に並べてみます。そして、その全体を見ながら、カードを分類したり、並べ直したりします。そうすると、調べたことが一覧でき、そこからいろいろなことが見えてきます。数値データについて、表にしたりグラフにしたりすることで、いろいろ見えてくるのと同じです。

カードにするということは、不定型なばらばらのデータから、重要な部分(読みながらマーカーを引くようなところ、と考えればよいでしょう)を抜き出して、定型にしておくということです。定型にすることで、それをそろえたり、並べ直したり、分類したり、という作業が簡単になります。要は、膨大なデータを圧縮して定型化させ、それによって、データをまとまった形にして、対話を促進してやる、ということです。

ですから、同じことができるなら、物理的なカードにしなくてもかまいません。PC上でそれを行うことができるソフトもいろいろあります。Evernoteもそういう使い方ができますし、IdeaFragment2(後出の図5-11)というフリーソフトでも、それがある程度できます(IdeaFragment2は、あとで述べるKJ法のためのソフトです)。少々価格が高いですが、MAXQDAという「質的データ分析ソフト」は、こうしたことを簡単に、しかも本格的にできるソフトです。MAXQDAを使うと、カード化およびこのあとで述べるキーワード化の作業がとても簡単にでき、しかもそれを一覧化でき、また体系化もできます。

さらに、じつはカード化は、数値データでも行うことができます。数値データを表にしたもの、グラフにしたものなどを、一つずつカードにするのです。先ほどの川の例ならば、Nさんらの話や各種文書の文字データをカード化したもののほかに、川にかかわるいろいろな数値データ、それを表やグラフにしたものもカード化して、それに加えることができます。カードにすることで、文字データと数値データとを一緒に扱えるのです。

キーワード化

カード化するという作業は、単に「抜き出す」ということではありません。集めた資料・データともう一度「対話」し、そこから何かを考えるという大事な作業が含まれています。さきほどのNさんの聞き取り記録からは、四枚のカードそれぞれに、「川に対する独自の命名」、「子どものころのカニ獲りの思い出として語られる川」、「川の思い出と人の思い出がつながっている」、「改修工事への矛盾した思い」というキーワードをつけました。このキーワードが、つまり、聞き取りデータと対話して考えたことなのです。

キーワード化は、数値データからも行うことができます。数値データを表やグラフにしたものをカード化したら、そこからわかったことをキーワードとして記入します。

この「キーワードを引き出す」という作業が大事な作業です（研究者はこれを「コーディング」

と呼んでいます）。文字データと対話し、その部分部分からわかったことをキーワード化しながらカードにしていくという作業になります。それは一枚のカードを短い言葉で要約してやる作業とも言え、つまりはそのカードにインデックスをつける作業だとも言えます。

カードにするというのは、たいへん手間がかかる作業です。それでもやはりカード化したほうがいいようなたぐいの調査もあれば、そんな手間をかけないほうが効率的だというたぐいの調査もあります。これは、調査の量や質によるので、カード化が絶対必要かどうかはなかなかむずかしいところです。

しかし、この「カード化」の考え方は大事ですし、これに類することは、必ず行う必要があります。カード化の考え方とは、全体の情報を、いったんばらばらにした上で、圧縮し、一覧するということです（前出の図5−5参照）。たとえば、情報のあちこちに付箋を貼って、そこに一言ずつキーワードを書いていく、というよく行われる作業も、それに近い作業と言えるでしょう。キーワードだけを取り出していけば、相当な「圧縮」になりますので、全体の見通しがよくなるわけです。

せっかくいい情報を集めたのに、それをうまく生かしきれない人がいます。それは、たいてい、このあたりの作業をきちんと行っていない人なのです。

ここで、キーワード化にかかわる練習問題をちょっと行ってみましょう。

【練習問題11】
ある一人の人に、その人の家族に関する話を聞き、そこから五つ程度のキーワードを考えてください。

練習ですので、わりあい話を聞きやすい、近しい友人などがいいでしょう。その人に、ちょっと練習台になってほしいと頼み、了承を得たら、インタビューを始めましょう。親しい友人と言っても、家族のことを詳しく聞いたことはなかったかもしれません。家族(親、配偶者、兄弟、子ども、など)はそれぞれどんな人か、それぞれに対し、どういう感情を抱いているか、どんな関係だと考えているか、などなど、聞いてみましょう。やはり自然に話しやすい雰囲気で聞くのがいいと思います。三〇分くらい、メモを取りながら聞いてみます。

そして、インタビューのあと、そのメモを見ながら、いろいろとその人の話を思い出します。兄弟の話をしていたときの表情なども、思い出してみるといいかもしれません。

なるほど、この人は、教師であった親に対し、尊敬の念と同時に複雑な感情をもっているのだ、ということがわかったかもしれません。どういうキーワードを引き出しましょうか。「親への尊敬と劣等感」といったキーワードになるかもしれません。ほかに、兄弟の話がじつはあまりなかった、ということに気がつきました。話があっても、あまりうれしそうでもなく、また、話すこともない、といった感じでした。どういうキーワードをもってくればいいでしょうか。話の感じからあなたは「兄弟の存在希薄」というキーワードを作ってみました。

今はインタビューのあとすぐキーワードを引き出すという練習をしてみましたが、インタビューのすぐ後でもいいですし、インタビュー記録を作ってしばらく経ってからキーワードを作っていく、というのもいいでしょう。実のところ、インタビュー直後のキーワード化と、しばらく経ってからのキーワード化は少し意味合いが違ってきます。

インタビュー直後のキーワード化は、その場の空気感みたいなものを反映したキーワード化になるでしょうし、新鮮な気持ちでのキーワード化になるでしょう。一方、時間が経ってからのキーワード化では、ほかのさまざまな情報や発見を踏まえたうえでのあらためてのキーワード化になるでしょう。どちらがすぐれているというのではなく、できれば両方やるのがよいでしょう。

このキーワード化のときに注意したいのは、既成概念に引きずられるな、ということです。

たとえば先ほどの家族についての聞き取りで、当人の親に対する複雑な感情を「コンプレックス」というキーワードで書いてしまったらどうでしょう。「そうか、要するにコンプレックスか。コンプレックスなのだから……で、……」と、「コンプレックス」という言葉に引きずられた思考しかできなくなるかもしれません。「コンプレックス」という言葉を使いたくなるのをぐっとこらえ、なるべく自分の言葉で考えることが必要です。できるかぎり相手が話してくれたリアリティに近い言葉を探してみましょう。

先ほどの川の例だと、おじいさんの川へのさまざまな思いを聞いて、それを「環境への意識が大事だ」などという陳腐な言葉でまとめてしまったら、おじいさんの川への具体的なかかわりや思いが生きてきません。

こうしたキーワード化は、少々慣れが必要かもしれません。先ほどインタビューからキーワードを作り出す練習問題を出しましたが、こうしたことはいろいろな形で練習することができます。簡単なやり方としては、テレビのドキュメンタリー番組を見て、それをいくつかのキーワードにしてみる、というのもあります。たとえば、ある地域の漁師さんに関するドキュメンタリー番組を見て、「漁師さんたちと海とのかかわりについて四つのキーワードを抽出せよ」という問題はどうでしょう。そんな練習をしてみてください。

3　ＫＪ法によって体系化する

ＫＪ法とは何か

いろいろなカードがそろってきました。聞き取りデータや文献からたくさんのカードができ、また、そこからキーワードも作ってみました。さらには、数値データから作った表やグラフもいくつもでき、それもカードにし、キーワードもつけました。文字データ、数値データが混在したカード群が目の前にあります。しかし、まだ全体が見えてきません。

これらのカードやキーワードはさしあたり同じ平面上にあり、まだそれぞれの関係まではっきりしていません。浮かび上がってきたキーワードだけでもすでに意味がありますが、それぞれのキーワードを関係づけて、全体として何が言えるのかを考えることは、もっと意味があるでしょう。ノンフィクション作家の佐野眞一さんが言うとおり、「情報というものはピンポイント的に存在するのではなく、別の情報と響きあうことで価値をおびてくる」(佐野 2001: 123)のです。

これを行うにはいろいろなやり方がありますが、最有力なやり方であるＫＪ法を、ここでは紹介しましょう。

ＫＪ法は、文化人類学者の川喜田《かわきた》二郎さんが開発した方法で（川喜田 1967）、小さな紙片に短い文やキーワードを書いていき、それを並べ直して、グループ化を進め、そこから分析を加えていこうとするやり方です。

たとえば、ある市民活動グループが、自分たちの最近の活動について日ごろいろいろと問題を感じているが、それをうまく整理しきれていなかったとしましょう。ＫＪ法を使って、その問題点を整理してみよう、という話になりました。

まず、「自分たちの最近の活動について思っていることを書いてみましょう」と、小さな紙片（付箋紙）に、何でも書いていきます。みんな、いろんなことを書きはじめました。「各活動のあいだの連絡がうまく行っていない」、「活動がマンネリ化している」、「仕事が特定の人に集中している」、「新しく活動に参加してきた人がなかなかなじめないでいる」、「新しく参加した人がグループの理念を理解しないでいる」などなど、いろいろ書いています。一枚の紙片には一つの項目しか書かない、ということが大事です。

一人一〇枚くらい書いたところでいったんストップし、それをみんなで見せあいます。「へえ、そんなこと考えていたんだ」とか、「私も同感」とか、いろんな感想が出ます。

出てきた紙片を、白い模造紙の上に並べてみます。すると、関連ある内容がいろいろあります。それらを一まとめにしてみましょう。紙片のまとまりがいくつかできました。それぞれのまとまりに、名札のようなものをつけます。そのまとまりを一言でいうとどういうことになるか考えて、それを名札にしました。

紙片のまとまりとまとまりとの関係も、こちらが原因でこちらが結果、これとこれは相反する関係、といったようにいろいろな関係があるでしょう。矢印などでそれを表してみましょう。そうやって、徐々に全体的な図ができてきます。話が整理されてきたということです。

注意していただきたいのは、この作業は、カードをただまとめるだけの作業ではないということです。「まとめる」といっても、どういう視点で見るかによってまとめ方は異なってきますし、そもそもどんな視点がよいのかについて最初から決まっているわけではありません。したがって、それぞれのカードがいったい何を意味しているのか、それぞれのカードの関係がどうなっているのかを考えながらこの作業は行われます。

このカードとこのカードを合わせるとこういうことが言えそうだ、こう考えるとこれとこれは共通した話になる、あるいは、あれが原因でこれが結果、といったことを考えながらの作業です。ですから、これは「まとめ」作業というより分析の作業なのです。

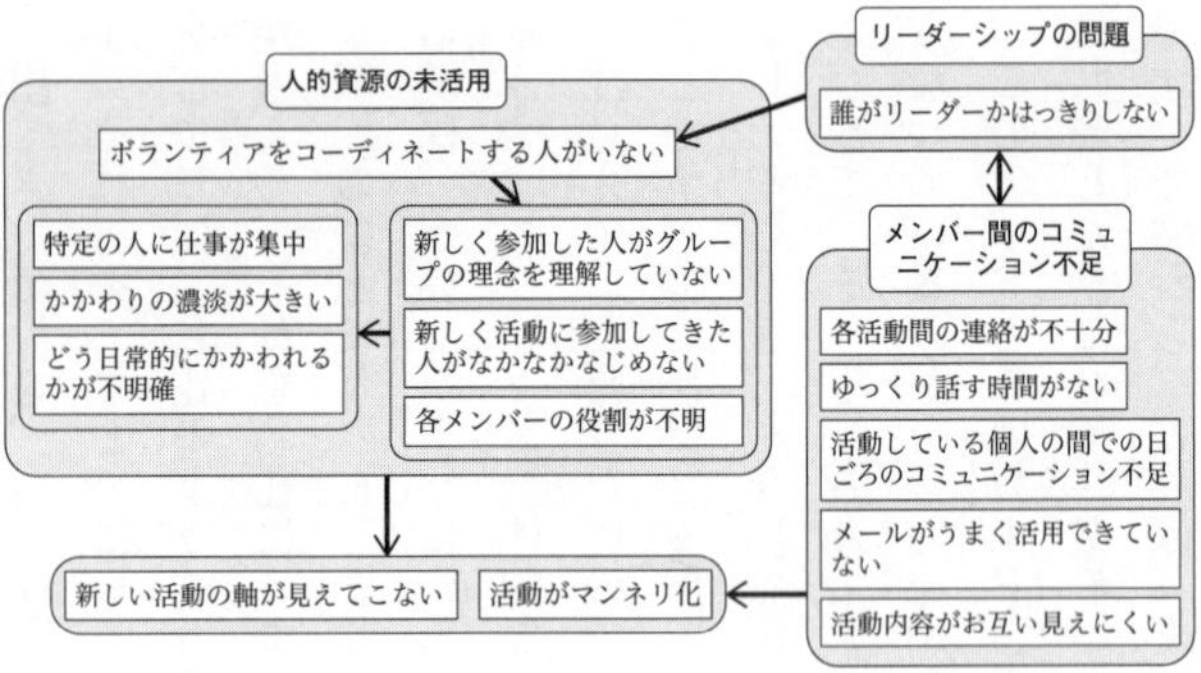

リーダーシップの問題
誰がリーダーかはっきりしない
人的資源の未活用
ボランティアをコーディネートする人がいない
特定の人に仕事が集中
かかわりの濃淡が大きい
どう日常的にかかわれるかが不明確
新しく参加した人がグループの理念を理解していない
新しく活動に参加してきた人がなかなかなじめない
各メンバーの役割が不明
メンバー間のコミュニケーション不足
各活動間の連絡が不十分
ゆっくり話す時間がない
活動している個人の間での日ごろのコミュニケーション不足
メールがうまく活用できていない
活動内容がお互い見えにくい
新しい活動の軸が見えてこない
活動がマンネリ化

図 5-8　KJ 法

その分析の結果、この市民活動グループの問題は、(1)人的資源はあるのにそれが十分に活用できていないことと、(2)活動しているメンバーの間で日ごろのコミュニケーションが不足していたということがあり、(3)その両方の背景としてリーダーシップの問題があった、ということがわかりました(図5-8)。

こんなふうに、たくさんのキーワードを、紙片に書いて整理したり、そのなかで何かを発見したりするのが、KJ法のやり方です。

調査の文脈では、カード化やキーワード化まで行ったあとの分析に、このKJ法を使います。文字データ、数値データ双方から作られた多くのカードを、大きな机の上に並べて、いまと同じような作業を行います。あるいは、カードにそれぞれつけたキーワードを抽出し、それらを紙の上に並べて、同様の作業をします。

実際にやってみる

KJ法に慣れるため、次の練習問題をやってみましょう。

【練習問題12】

ある川で、住民参加型の再改修事業を行うことになり、あなたもそれにかかわることになりました。再改修は環境保全型の改修をめざしていますが、それを単なる技術的な改修にせず、地域の人たちのかかわりを重視した再改修にしたいと考えました。また再改修への是非についても、住民たちの意見を聞きたいと考えました。そこでまず、その川について、地域に住む人びとはどういうかかわりをしてきたのか、また、再改修についてどう考えているのかなどについて、多くの住民への聞き取りやアンケート調査を実施しました。その結果、次のようなことがわかりました。これらのことをKJ法で整理し、この調査からどんなことが言えそうかを報告してください。

・年配の人は、昭和三〇年代くらいまで、この川で泳いだ経験をもつ。

・現在の子どもたち(小学生たち)は、年に二、三回ある、川に親しむイベントにわりあい積極的に参加しており、それを楽しんでいる。
・現在の子どもたち(小学生たち)のほとんどは、イベントのとき以外この川に近づくことはない。
・現在の子どもたち(小学生たち)のうち、小学校五、六年の一部の子どもたちは、この川で(親に内緒で)多少危険な遊びをしている。
・昭和五〇年代に行われたこの川の改修工事について、当時の人たちの多くは、洪水防止に役立つとして賛成した。
・昭和五〇年代に行われたこの川の改修工事について、現在の年配の人たちは、「あの工事をきっかけにみんな川に寄りつかなくなった」と考えている。
・昭和二〇年代の記憶として、何人かの人が、カニ獲りについて話してくれた。
・年配の人たちが昔の川について語るとき、必ず、そのころ仲良かった友だちの話になる。
・再改修計画について、周辺住民への質問紙調査では、有効回答のうち、四五%の人が賛成、三〇%の人が反対、二五%の人がどちらとも言えない、だった。
・再改修計画については、税金の無駄遣いではないかという意見が住民のなかに少なからずある。

・住民の川への思いは、単純でなく、さまざまなものが入り混じっている。

・この川の正式名称は△△川だが、住民の多く(とくに年配者)は〝カエル川〟と呼ぶ。カエルが多いからだという。

・毎年一回行われている「クリーンアップ(川掃除)作戦」では、町内会を中心に、毎回三〇名くらいの参加者を得ており、参加者は熱心だ。

・午前中は、犬の散歩で利用する人が多く、川辺で愛犬家たちが言葉を交わしている姿をよく見かける。

・再改修で、子どもたちがより川に親しめるようになったらいい、と若い親の多くは語った。

・インタビューでは多くの人が再改修への関心を語ったが、実際に行政が行った「住民検討会」に参加した住民の数は少なかった。

・行政の「住民検討会」へ参加しなかった理由として、「どうせ行政は計画を変えないだろうから」、「行政に対する不信がある」という意見を述べる人が複数いた。

・行政の「住民検討会」では、司会を担当した人がうまかったこともあり、好評だった。

・住民検討会では、「ホタルが棲《す》む川にしてほしい」という要望がたくさん出された。しかし、この川にホタルがいたという記録はない。
・住民のなかには、ひそかに川辺にハスを繁殖させている人がいるが、それに対し、他の住民のなかには好意的な人もいれば、嫌う人もいる。
・年配の人のなかには、改修工事以来、カニの数がめっきり減ったと嘆く人たちもいる。

実際にやってみましょう。

まずは各項目を紙片や付箋紙に書き写してください。そして、それを大きな紙の上に並べ、しばらく眺めてみましょう。

しだいに、自分なりにまとまりが見えてくるかと思います。どんな「まとまり」になるかは、決まった答えがあるわけではありません。人それぞれの視点でまとめ方は違ってきますし、違っていいのです。まとめていく段階で、何か自分なりのキーワードを新しい紙片に加えていってください。

たとえば、そうやってまとめてみた一つの例が図5-9です。これは、「再改修計画」への態度を軸にまとめてみたものですが、これをもとに文章にすると、以下のようになるでしょう。

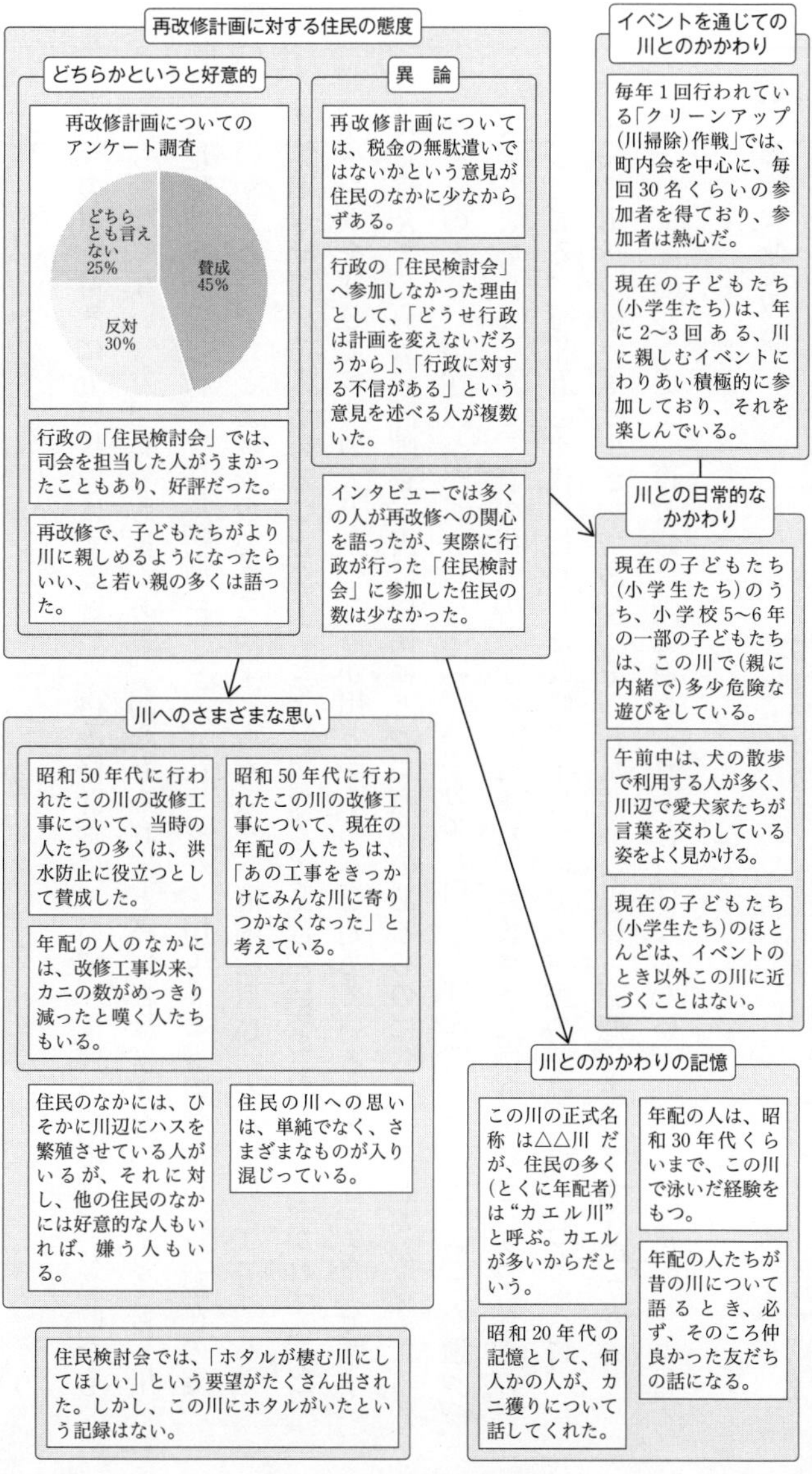
再改修計画に対する住民の態度
どちらかというと好意的
再改修計画についてのアンケート調査
どちらとも言えない 25%
賛成 45%
反対 30%
行政の「住民検討会」では、司会を担当した人がうまかったこともあり、好評だった。
再改修で、子どもたちがより川に親しめるようになったらいい、と若い親の多くは語った。
異 論
再改修計画については、税金の無駄遣いではないかという意見が住民のなかに少なからずある。
行政の「住民検討会」へ参加しなかった理由として、「どうせ行政は計画を変えないだろうから」、「行政に対する不信がある」という意見を述べる人が複数いた。
インタビューでは多くの人が再改修への関心を語ったが、実際に行政が行った「住民検討会」に参加した住民の数は少なかった。
イベントを通じての川とのかかわり
毎年1回行われている「クリーンアップ(川掃除)作戦」では、町内会を中心に、毎回30名くらいの参加者を得ており、参加者は熱心だ。
現在の子どもたち(小学生たち)は、年に2〜3回ある、川に親しむイベントにわりあい積極的に参加しており、それを楽しんでいる。
川との日常的なかかわり
現在の子どもたち(小学生たち)のうち、小学校5〜6年の一部の子どもたちは、この川で(親に内緒で)多少危険な遊びをしている。
午前中は、犬の散歩で利用する人が多く、川辺で愛犬家たちが言葉を交わしている姿をよく見かける。
現在の子どもたち(小学生たち)のほとんどは、イベントのとき以外この川に近づくことはない。
川へのさまざまな思い
昭和50年代に行われたこの川の改修工事について、当時の人たちの多くは、洪水防止に役立つとして賛成した。
昭和50年代に行われたこの川の改修工事について、現在の年配の人たちは、「あの工事をきっかけにみんな川に寄りつかなくなった」と考えている。
年配の人のなかには、改修工事以来、カニの数がめっきり減ったと嘆く人たちもいる。
住民のなかには、ひそかに川辺にハスを繁殖させている人がいるが、それに対し、他の住民のなかには好意的な人もいれば、嫌う人もいる。
住民の川への思いは、単純でなく、さまざまなものが入り混じっている。
住民検討会では、「ホタルが棲む川にしてほしい」という要望がたくさん出された。しかし、この川にホタルがいたという記録はない。
川とのかかわりの記憶
この川の正式名称は△△川だが、住民の多く(とくに年配者)は“カエル川”と呼ぶ。カエルが多いからだという。
年配の人は、昭和30年代くらいまで、この川で泳いだ経験をもつ。
昭和20年代の記憶として、何人かの人が、カニ獲りについて話してくれた。
年配の人たちが昔の川について語るとき、必ず、そのころ仲良かった友だちの話になる。

図 5-9　KJ法で整理する

今の川を自然に近い状態にするという再改修計画について、住民の反応は、好意的なものも少なくない一方、異論も多くある。関心もそれほど高いとは言えない。そもそも、川と地域住民の関係は、「住民検討会」といった場のみで出てくるものではない。現在の実際のかかわり、たとえば少数であるが子どもたちが「危険な遊び」をしていること、ハスを繁殖させている人がいること(ただしそれに対する評価は住民のあいだでわかれている)、イベントを通じて多くの大人や子どもが川とかかわりを始めていること、などを十分踏まえたうえで、再改修計画を本当に住民にとって意味のあるものにしていく必要があるだろう。そのとき、現在のかかわりだけでなく、「カエル川」と呼んできたこと、カニを獲っていたということなど、昔の川とのかかわりもまた、さまざまに掘り起こされるべきものとしてある。昭和五〇年代に行われた改修工事についての住民の評価に見られるように、住民の川への思いはさまざまであり、そうした多様な思い、記憶、そして現在のかかわりを十分に配慮した形で、再改修計画は進められなければならない。

別の整理をしてみる

もう一回、同じデータで、視点を変えて、KJ法をしてみましょう。するとたとえば、図5−10ができました。

これをもとに簡単な文章にすると、以下のようになるでしょう。

人びとにとっての川とは、単にそこに水が流れているというものではない。年配の人たちが昔の川について語るとき必ず友だちの話になるのに見られるように、人は川に人との関係を見ているのである。昭和五〇年代の改修工事への合意も、おそらく、治水目的に合意したというより、地域のなかでのコンセンサスが優先されたものと思われる。しかし、この改修工事などを契機に、地域における人間関係が希薄化し、現在では、川で人びとが集うことは、イベントを除いて、激減した。そうしたなかで再改修計画がもちあがったために、人びとの議論は、地域のなかで話し合う、というより、行政への不満を口にするという方向へ向かいやすい。また、関係が希薄化するなかで、川との関係もどういうものがよい関係なのかが見えにくくなっている。しかし、よく見てみると、そうした関係を克服しようとする動きもある。現実に川とかかわる人びとがいないわけではないし、イベントには多くの人が集まる。川との関係を取り戻すということは、地域の人間関係を取り戻す

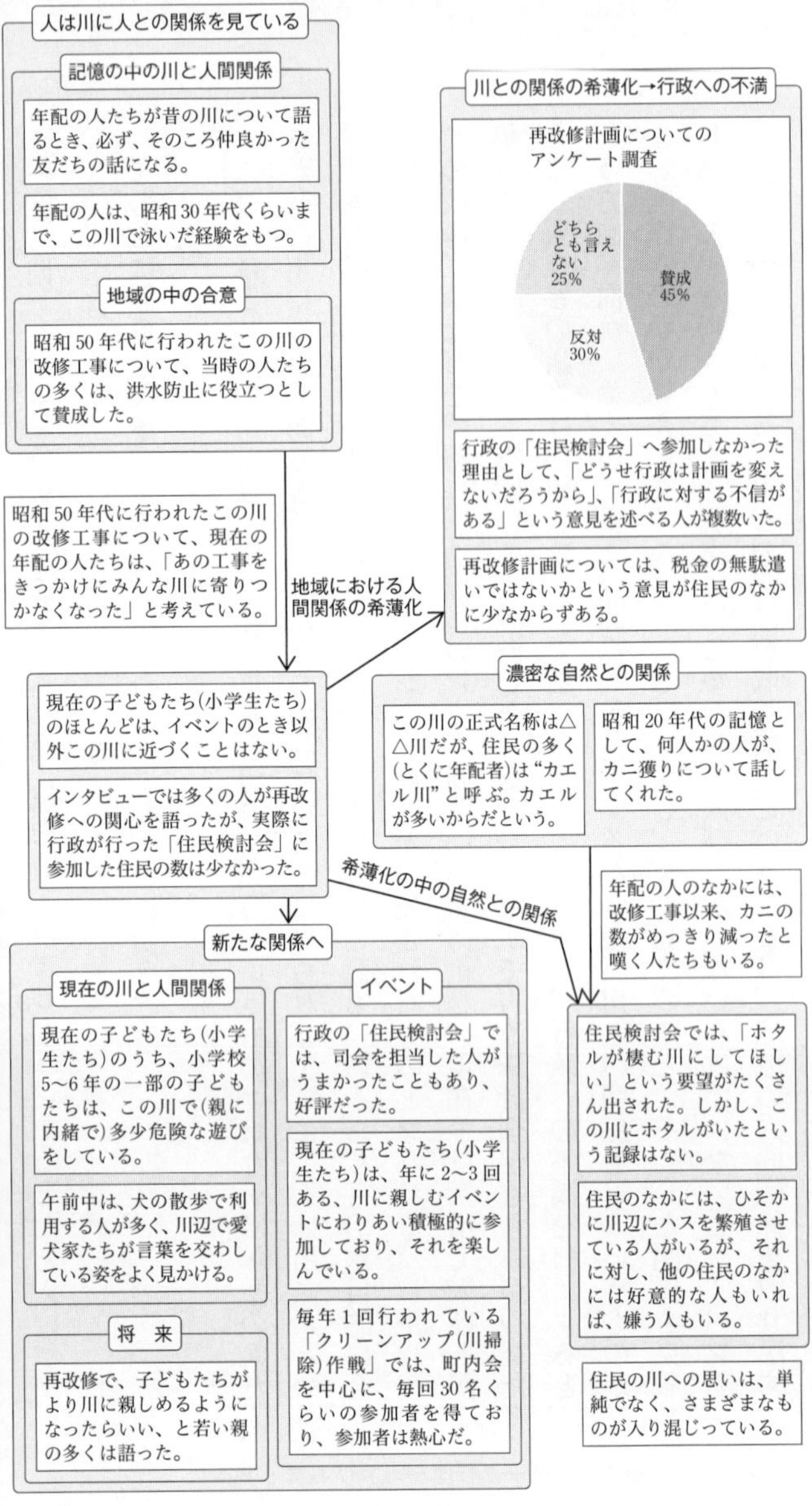
人は川に人との関係を見ている
記憶の中の川と人間関係
年配の人たちが昔の川について語るとき、必ず、そのころ仲良かった友だちの話になる。
年配の人は、昭和30年代くらいまで、この川で泳いだ経験をもつ。
地域の中の合意
昭和50年代に行われたこの川の改修工事について、当時の人たちの多くは、洪水防止に役立つとして賛成した。
川との関係の希薄化→行政への不満
再改修計画についてのアンケート調査
どちらとも言えない 25%
賛成 45%
反対 30%
行政の「住民検討会」へ参加しなかった理由として、「どうせ行政は計画を変えないだろうから」、「行政に対する不信がある」という意見を述べる人が複数いた。
再改修計画については、税金の無駄遣いではないかという意見が住民のなかに少なからずある。
昭和50年代に行われたこの川の改修工事について、現在の年配の人たちは、「あの工事をきっかけにみんな川に寄りつかなくなった」と考えている。
地域における人間関係の希薄化
現在の子どもたち(小学生たち)のほとんどは、イベントのとき以外この川に近づくことはない。
インタビューでは多くの人が再改修への関心を語ったが、実際に行政が行った「住民検討会」に参加した住民の数は少なかった。
濃密な自然との関係
この川の正式名称は△△川だが、住民の多く(とくに年配者)は“カエル川”と呼ぶ。カエルが多いからだという。
昭和20年代の記憶として、何人かの人が、カニ獲りについて話してくれた。
希薄化の中の自然との関係
年配の人のなかには、改修工事以来、カニの数がめっきり減ったと嘆く人たちもいる。
新たな関係へ
現在の川と人間関係
現在の子どもたち(小学生たち)のうち、小学校5~6年の一部の子どもたちは、この川で(親に内緒で)多少危険な遊びをしている。
午前中は、犬の散歩で利用する人が多く、川辺で愛犬家たちが言葉を交わしている姿をよく見かける。
将　来
再改修で、子どもたちがより川に親しめるようになったらいい、と若い親の多くは語った。
イベント
行政の「住民検討会」では、司会を担当した人がうまかったこともあり、好評だった。
現在の子どもたち(小学生たち)は、年に2~3回ある、川に親しむイベントにわりあい積極的に参加しており、それを楽しんでいる。
毎年1回行われている「クリーンアップ(川掃除)作戦」では、町内会を中心に、毎回30名くらいの参加者を得ており、参加者は熱心だ。
住民検討会では、「ホタルが棲む川にしてほしい」という要望がたくさん出された。しかし、この川にホタルがいたという記録はない。
住民のなかには、ひそかに川辺にハスを繁殖させている人がいるが、それに対し、他の住民のなかには好意的な人もいれば、嫌う人もいる。
住民の川への思いは、単純でなく、さまざまなものが入り混じっている。

図5-10　別の整理をしてみる

ということである。

このように、同じデータだからと言って、同じまとめ方になるとは限りません。同じデータを見ても、人によって、分析のしかたも結論も違ってきます。どちらが正しいというのではないのです。どちらが正しいかではなく、どちらがより説得力のある分析やまとめ方をしているか、が問題です。

より説得力をもったまとめ方をするように心がけてください。これは、なかなか大変な作業ですが、練習をすると確実にうまくなります。

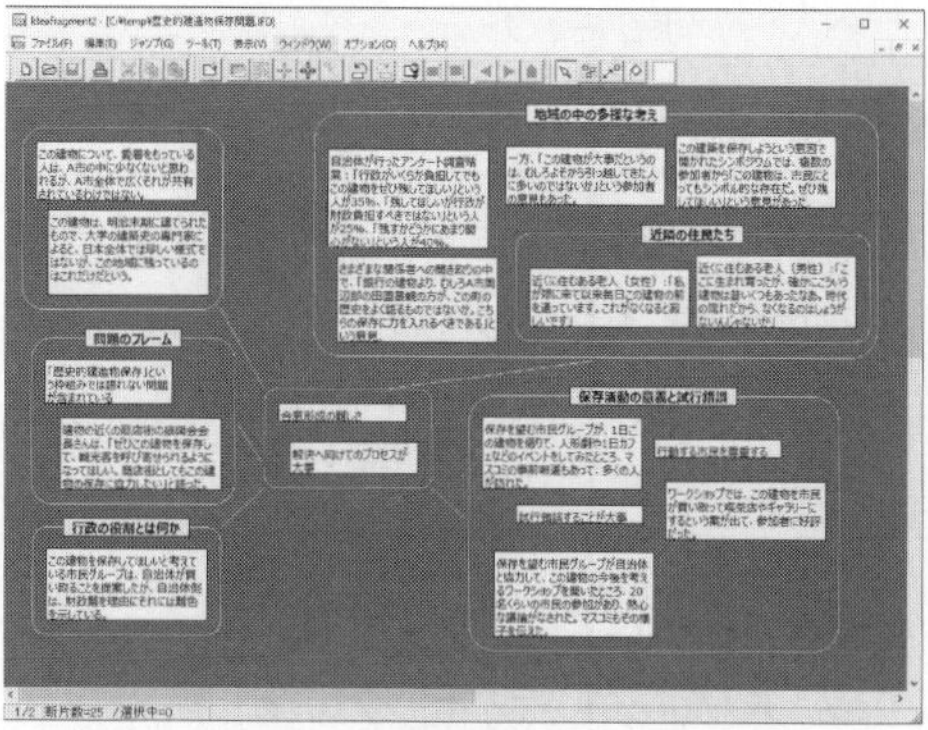

図5-11　IdeaFragment2

IdeaFragment2

このKJ法をPC上で行うことのできるソフトに、IdeaFragment2(http://nekomimi.la.coocan.jp/freesoft/ideafrg2.htm)があります(図5-11)。IdeaFragment2は、シンプル

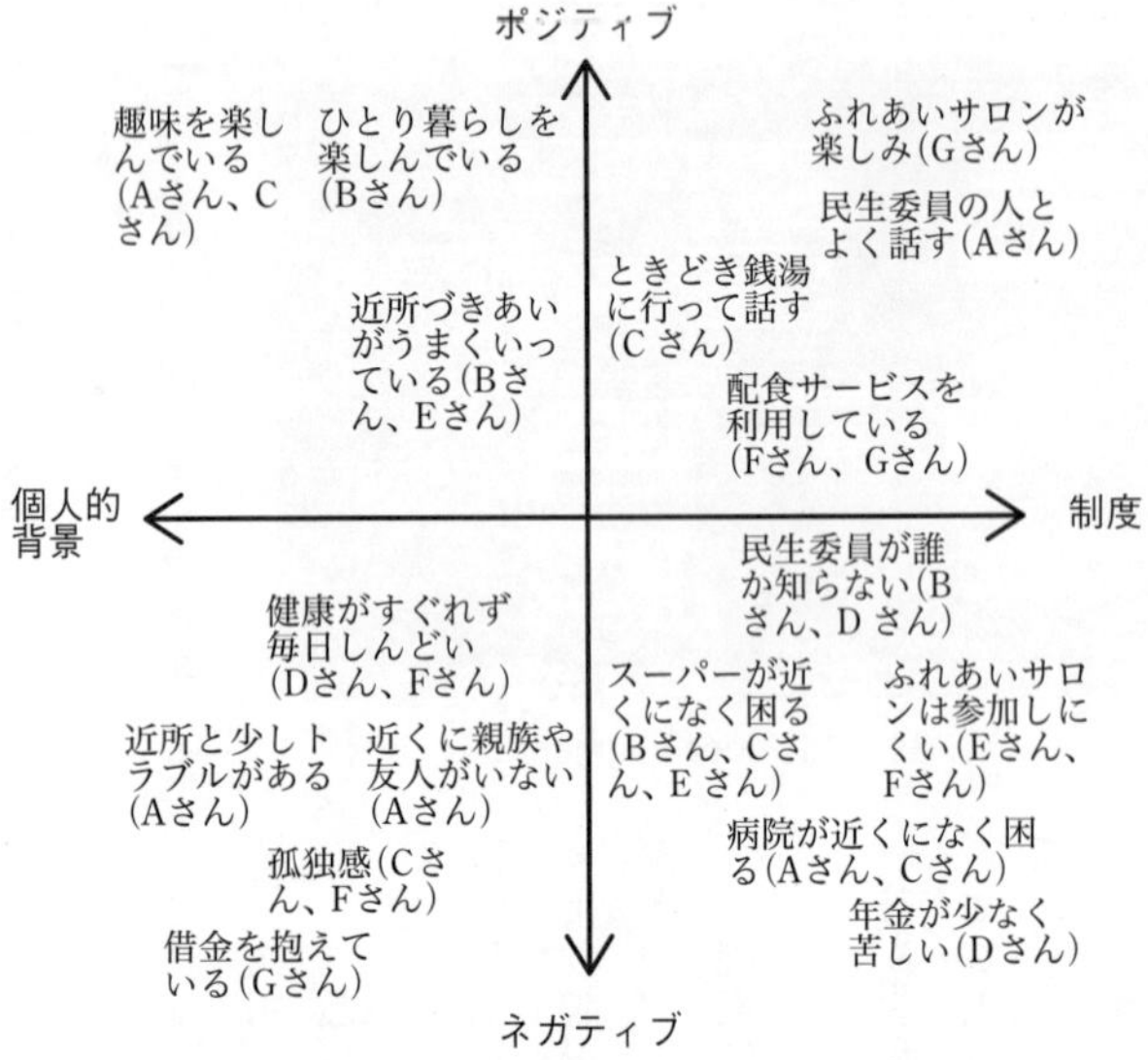
ポジティブ
ネガティブ
個人的背景
制度
趣味を楽しんでいる(Aさん、Cさん)
ひとり暮らしを楽しんでいる(Bさん)
ふれあいサロンが楽しみ(Gさん)
民生委員の人とよく話す(Aさん)
ときどき銭湯に行って話す(Cさん)
近所づきあいがうまくいっている(Bさん、Eさん)
配食サービスを利用している(Fさん、Gさん)
民生委員が誰か知らない(Bさん、Dさん)
健康がすぐれず毎日しんどい(Dさん、Fさん)
スーパーが近くになく困る(Bさん、Cさん、Eさん)
ふれあいサロンは参加しにくい(Eさん、Fさん)
近所と少しトラブルがある(Aさん)
近くに親族や友人がいない(Aさん)
病院が近くになく困る(Aさん、Cさん)
孤独感(Cさん、Fさん)
年金が少なく苦しい(Dさん)
借金を抱えている(Gさん)

図5-12　座標軸で考えてみる
(ひとり暮らし高齢者の聞き取りデータから)

ですがよくできたソフトで、KJ法を画面上で自由に行えるものです。キーワードが書かれた付箋を画面上でグループ化したり、移動したりすることができ、私たちの構成力をビジュアルに手助けしてくれます。

座標軸で考える

KJ法は、カード間の関係をフリーな形で平面上で考える方法です。しかし、フリーなので、やりにくいと思う人もいるかもしれません。何か決まった形があったほうがやりやすい、という人は、先に触れたクロス表をつくることを考えてもよいでしょう。あるいは、何らかの縦軸、横軸をつくって四象限にし、そのどこかにカードを当てはめていくというのもよいかもしれません。

図5‐12は、ひとり暮らし高齢者への聞き取りをして、そこで得た内容を「制度―個人的背景」、「ポジティブ―ネガティブ」という縦横の軸で整理してみたものです(架空データです)。バラバラのままでは見えてきにくい問題が、こうやって整理してみることによって、問題の構造、ひいては解決策まで、少し見えてきます。

ビジネスの世界で使われるさまざまな「フレームワーク」、たとえば、SWOT分析(強み―弱み―機会―脅威の四つの項目にわけていく)などを使ってみるのもよいかもしれません。これらのフレームワークは、集めてきたデータの分析にうまく合いそうならば使ってみてください。

4 アウトプットする

論文という基本形式

自分が調べたことを人に発表するのには、いろいろな方法があります。いちばん一般的な発表のしかたは、文章にするということでしょう。

文章で発表するといっても、さまざまな形態があります。ここでは最も簡単な、論文形式の発表のしかたを、まずとりあげましょう。

論文形式が簡単とはどういうことか、といぶかる人もいるかもしれません。論文というのはむずかしいものだという印象をもっている人も多いでしょう。しかし、じつはそうではありません。「論文」とは、論理的に展開された文章のことです。議論の根拠がはっきりしていて、筋道が通っている文章が「論文」です。決してむずかしい言葉を使ったわかりにくい文章が論文ではありません。その意味で、論文は、基本的でマニュアル化された形式であり、絵画で言えばデッサンに当たるものです。

もちろん調べた結果を文章にするには、論文形式が絶対ではありませんし、むしろ他の形式、たとえばルポルタージュのほうがすぐれていることも少なくありません。しかし、まずは論文形式で書けるようになることが基本です。

アウトラインをつくる

論文にせよ何にせよ、文章を書くときに、あまり考えずにともかくもまず書き始めてしまう、という人がいます。しかしこれはダメです。というより、ほとんどの場合、それは途中で破綻してしまいます。書いているうちに、自分で何を書いているのかわからなくなってしまいます。わからなくなる、というより、最初からわかっていないのです。

論文を書くときに最も大事なのは、構成(アウトライン)をつくることです。何と何をどういう順番で書くのか、ということです。どういう順番でどう書いたら説得力をもつのか、ということでもあります。

論文の場合、守らなければならないルールは、序論―本論―結論、という構成です。序論とは、この論文で何を論じるのか、なぜそのことについて論じるのか、そして、この論文の根拠となった調査はどうやって行ったのか、についてあらかじめ「宣言」する部分です。まずこれを宣言してから本論に入ります。本論では、調べたことからわかったこと、そこから考察したこと、を書きます。そして最後の結論は、わかったことを中心に全体の要約を書きます。

もちろん中心は本論部分にあります。この本論部分が全体の九割程度になるでしょう。では、この部分をどう書けばいいでしょうか。

このときに使うのが、KJ法による体系化なのです。たとえば、先ほどの練習問題をもとにアウトラインをつくってみると、

1　はじめに――河川再改修計画と地域住民
2　人は川に人との関係を見ている
　2―1　記憶の中の川と人間関係
　2―2　地域の中の合意
3　地域のなかの関係の希薄化
　3―1　川との関係の希薄化
　3―2　川を通じた人間関係の希薄化
4　新たな人間関係と川へ
　4―1　イベントを通じた関係へ
　4―2　「危険な遊び」から
　4―3　再改修工事と地域住民
5　結論

といった感じのものが考えられるでしょう。

極端な話をすれば、このアウトラインが完成すれば、論文は、九割がたできあがったようなものです。論文を書くという作業のほとんどは、アウトラインを練《ね》るという作業です。くれぐれも、アウトラインなしにとにかく書き始めるなどということはしないようにしてください。

多くの人が使っているマイクロソフト・ワードには、じつはアウトライン機能がついています。これはあまり使われていないようですが、便利な機能なので、ぜひ使ってみてください。ワードは、もともと論文執筆のために作られたソフトなので、そのための機能(たとえば、目次作成機能など)がたくさん備わっています。

WZエディタ(有料)、Mery(フリー)といったテキストエディターにも、アウトライン機能があります。テキストエディターとは装飾機能のないワープロで、文章をひたすら書くにはワードなどよりこちらのほうが便利です。

アウトラインをつくって、よし執筆を始めよう、となればベストなのですが、そうはならないこともしばしば起こります。アウトラインをつくってみることによって、足りないものに気がつくことがあります。ここでこれを議論したなら、次のところではこういうことを議論しておかないとその次に進めない、しかし、それについては、まだデータが十分に集まっていない、といったふうにです。そうした場合は、また分析に戻ったり、さらにはデータ集めに戻ったりしなければならないかもしれません。

アウトラインができたら、それをもとに論文を書きます。カードやキーワードをもとにKJ法で体系化し、それをもとにアウトラインをつくったとすれば、アウトラインの各セクションの背景には、それぞれ該当するカードやキーワードがあるはずです。カードやキーワードがあるとすれば、その背景には、もととなった文字データや数値データがあり、それらは手元にあるはずです。そうしたカードやデータが、そのまま論文のコンテンツになります。ですから、アウトラインがよく練られていたとすれば、その背景のカードやそのまた背景のデータを使い、それを文章にすればよいだけです。

出典を示す

論文は、根拠を示しながら論理的に書かれた文章です。根拠が示されているかどうかは、論文の根幹にかかわる問題です。根拠が十分に示されていない文章は、信頼性がぐっと落ちます。その根拠が誰かに聞いた話ならば、いつ誰に聞いた話なのかを示す必要があります。計測したデータなら、いつどういう方法で計測したデータなのかを示す必要があります。どこかの文献に書かれていたことならば、その文献の出典をきちんと書きます。

文献の出典の示し方として今日最も広く用いられている方法は、本文に、獣害と地域社会との関係について、鈴木克哉は、「地域住民の『被害認識』に影響を与える要因として、……」(鈴木克哉 2008: 63) と議論しているが、一方、山本信次他 (2017) では、……ということが報告されている。

と書いて、末尾の文献リストに、

鈴木克哉 2008「野生動物との軋轢はどのように解消できるか？——地域住民の被害認識と獣害の問題化プロセス」『環境社会学研究』14: 55-69

山本信次他 2017「野生動物と押し合いへし合いしながら暮らしていくために」宮内泰介編『どうすれば環境保全はうまくいくのか』新泉社 pp.113-135

と載せる方法です。

聞き取りデータの場合、あるいは新聞記事などの場合は、この示し方はできないので、本文中で出典を示すか、注で示すしかありません。

ネットのサイト上の情報を参照したり引用したりする場合も注で示しますが、たとえば、

日本ボランティアセンター・ポジションペーパー「東北アジアの平和は武力では実現できない」https://www.ngo-jvc.net/jp/projects/advocacy-statement/2017/09/20170926-northkorea.html, 2020年4月12日閲覧

といった書き方になります。これは国際協力NGOである日本ボランティアセンターが出したポジションペーパー（政策提言書）のページを参照・引用する場合の書き方で、最後の日付は、このページを見た日付です。インターネット上の情報は日々変わりますので、いつ見たのかをこのように書いておくことが必要です。

出典や情報源をはっきりさせておく、というのは、形式の問題ではありません。それは自分の話には根拠があるんだと示すことでもあり、この部分は調査データや文献からの話、この部分は自分がそこから考えた話、ということをはっきり区別して示すことでもあります。ここをあいまいにして、どこからどこまでが他人の意見で、どこからどこまでが本人の意見なのかわからない論文や報告は、それだけでぐっと信頼性が落ちます。

論文はどこで発表するのか

論文を発表する場所については、いろいろな可能性があります。

いちばん一般的で、あとあとまで残る方法は、雑誌に載せることです。調査研究の論文を載せるような雑誌と言えば、各学会が出している雑誌、大学が出している雑誌、同人誌的に出されている雑誌など、さまざまあります。それらの多くは、図書館にも保管され、また多くはPDFでネットに保存され、閲覧に供されています。

いわゆる査読付き雑誌や学会誌は、敷居が高いと思われるかもしれませんが、間口を広くしている学会誌もあります。学会以外の主体、博物館、民間研究グループ、NPOなどが出している雑誌は、さらに間口を広くしていることが多く、投稿のチャンスがあります。探してみると、媒体は意外にあるものです。

プレゼンテーション

また、論文の内容を、口頭で発表するという方法もあります。学会での報告がその一つですが、自分たちで発表会を開くなどの手段もあります。学会報告は、パワーポイントを使って口頭で発表するという形と、ポスターセッションといって、一枚の大きな紙(ポスター)に発表内容を印刷して、訪れた人たちに説明するという形とがあります。そうしたところで、関心をもつ専門家を増やしたり、意見交換をすることは、大きな意味があります。

さらに、自分たちで発表の媒体を作るというのも手です。自分たちで発表会を開く、あるいは、論文をPDFにしてネットに載せる、などいろいろな形がありえます。

パワーポイントを使った報告を録画してYouTubeにアップすると、多くの人が見ることができます。FlashBack Express(フリー)などの画面記録ソフトを使ったり、Zoom(https://zoom.us/)などの会議システムを使って録画すると、パワーポイントで発表した様子そのものを動画として記録できます。それをYouTubeなどで公表するのもよいでしょう。

ネットを使った公表は、ますます一般的になっています。世界的にも、調査研究にたずさわるNGOやNPOが、自分たちの調査報告をネットに載せ、それが一定の影響力をもつという状況にあります。

とはいえ、ただネットに載せただけでは影響力をもちませんので、それを見てもらうための「宣伝活動」が必要です。何らかのインパクトのある内容であれば、新聞記者やネットメディアの記者にそれを記事にしてもらう、という方法もあります。新聞社の社会部などに電話やメール、FAXで取材依頼をすると、案外関心をもってくれたりするものです。

論文以外の発表形式も、もちろんいろいろあります。ルポルタージュ、記事、映像など、読んでほしい相手を考えながら、形式を選択するのがよいでしょう。

説得力を増す方法

論文という形にするにせよ、パワーポイントでプレゼンテーションするにせよ、自分が調べて明らかにしたことを伝えるときには、あたりまえですが、相手によくわかってもらう必要があります。ひとりよがりの報告をするのなら、報告をする意味がありません。

報告で説得力を増すにはどうすればいいでしょうか。

まず第一に、データをちゃんと出すことです。データを出さないで、とにかく納得してくれ、というのはありえません。データをきちんと提示することによって、相手を説得するのです。

聞いた話、文献で調べたこと、測定した数値、みな「データ」です。しかし、データばかり並べられたのでは、聞くほうはどこに焦点があるのかよくわかりません。すべてのデータを出すのではなく、効果的に大事なデータを出すことで、説得力が増します。データを出すにも、ある種の演出が必要だということです。

第二に、多くのことを詰め込まないことです。いろいろ調べてそれを全部伝えようとする人がいますが、それはかえって逆効果です。伝えたいことに焦点を絞り、そこを軸にして、はっきりとしたストーリーを組み立てます。話があっち行ったり、こっち行ったりして、結局のところ何が言いたいのかわからない、という報告はダメです。

論文にせよ、プレゼンテーションにせよ、発表するということは、相手に伝えるということです。伝えるには、伝えるだけの工夫が必要です。自分の伝え方で相手はわかってくれるか、自分の伝え方はわかりやすいか、を考えて、発表のしかたを工夫することが必要です。

5　共同で調べる

研究資金はどうするのか

最後に、触れるべきなのに触れてこなかった二つの大事なことについて述べたいと思います。一つはお金のこと、もう一つは共同で調査をすすめるということです。

市民による調査は、資金がほとんどないところから立案していかねばならないのが通例です。乏しい資金であってもよい結果が出せるように頭を使う、という心意気は大切ですが、そうばかりも言っておれないのが普通です。資金調達の主だった方法をみてみましょう。

最も一般的なのが、さまざまな団体が出している助成金を獲得することです。どのような助成元があるかを把握し、そのうちのどれに応募するのがよいかを決めるのは簡単ではありません。公益財団法人助成財団センター(http://www.jfc.or.jp/)の「助成金情報」や「助成金募集ニュース」、あるいは、「助成金ねっと」(http://www.josei-kin.net/)のなかの「助成金一覧」などを参考にしながら探してみるのがよいでしょう。また、自分が着目する先行研究がどういう助成を受けていたかを論文を手がかりにたどってみるのもよいでしょう。

なかには「高木仁三郎市民科学基金」(http://www.takagifund.org/)のように、市民の視点に立った調査研究への助成に特化したところもあります。高木基金は、問題の解明や解決をめざす「市民科学」を幅広く公募し、審査を経て、一般の市民から寄せられたお金を充《あ》てていくという事業です。世界的にみても類例がない、ユニークな助成です。必ずしも自然科学的なテーマにも限定していません。市民による調査研究を支える有力な助成と言えます。

自分がやりたいと思う調査のテーマと、助成元が提示する目的とのマッチングが何より肝心になりますから、助成元が開催する説明会や成果発表会があればそれに参加し、ホームページに掲載された過去の採択事例などをできるだけ詳しく調べるようにしましょう。

大学の研究者にとっては文部科学省からの科研費をはじめ、さまざまな研究助成を取ることがあたりまえですが、アカデミズムの外にある人が、もし有意義な調査テーマを提案し、それなりの調査能力もあるとするなら、そのテーマで大学と共同研究が組まれてもおかしくありません。現に、筆者(上田)の市民科学研究室がこれまで実施した一五件の助成研究のうち、四件が大学との共同研究でした。普段から研究者が集うシンポジウムや学会などに足を運び、「これは」と思う研究者を招いたりして意見交換してきたことが、共同研究を生むきっかけになっています。

市民が手がける調査の社会的意義が大きいのなら、一般の人びとから多くの寄付が集まり、それで調査費をまかなっていける——そんなうまいしくみがあればよいのですが、寄付の文化がなかなか根づかない日本では、そうはいきません。

それを打開する一つの方法として、クラウドファンディングが注目されています。キャンペーン型の市民活動、とくに被害者の支援に生かされるといった明確な効果を確実に生むものでは、成功した事例がたくさんあります。調査研究への支援をとりつけるのはなかなかハードルが高いのですが、事例もいくらか出てきており、可能性があります。

一人ではなく、自分「たち」で調べるメリット

「自分で調べる」ことは、もちろん「自分たちで調べる」ことにつながります。

Aさんには「なんとか解決したい」と思う社会的な問題があり、そのことを周りに訴えると、幸いそれに賛同するBさんやCさんが集まります。いろいろ話し合うなかで、文献やデータを読み解くための勉強会を始めようということになります。そのための場所や日程調整や費用集めといった事務作業はBさんが担当。会合のメモは持ち回りで作って、Cさんがそれをもとに簡単なホームページを立ち上げます。しだいにDさん、Eさんと集まり、一年くらい経った時点で、「独自のテーマで調査をしてみよう」ということになります。

集まっての勉強会に加え、Zoomなどを使ってネット会議での勉強会や打ち合わせも行うようになりました。集めたデータや資料は、GoogleドライブやMEGAなどのクラウドストレージを利用して共有すると便利なことも学びました。

知的な力量も生活の制約もさまざまですが、志を同じくする仲間として調査を開始した五人。意見交換によって考察を鍛えていくことができ、情報も手分けして収集できる、というよさもありますが、調査が何らかの壁にぶつかったときでも励まし合ってそれを乗り越えていけるとするなら、それが最大の強みでしょう。

このような「調べる」ためのチームワークの力は、それを生み出す定番の「技術」があるわけではないでしょう。しかしたとえば、毎回の会合やフィールドワークのメモをきちんと残して共有し、小さいながらも何らかのアウトプットを示していく、そして自分たちが何をめざしているのかを共同で言葉にして周りの関心を喚起していく、といったようなある種の作法は、「調べる」ことへの大きな推進力になります。

集まった人たちの個性の交わりのなかから、共同の力が生まれてくること――調べることで世の中を変えようという意志は、そうした共同の力を生み、またそれに支えられるものです。

あとがき

この本は、二〇〇四年に出した、宮内著『自分で調べる技術——市民のための調査入門』（岩波アクティブ新書）の全面改訂版にあたります。執筆者に上田が加わり、ほぼ、一から書き下ろしました。

宮内と上田は一九八〇年代に、学生として大学で学びながら、「自主講座」という市民運動団体の活動に参加していました。自主講座は、公害反対運動の旗手だった宇井純さん（一九三二〜二〇〇六年）が、東京大学での公開自主講座から始めた運動体でした。私たちは、そのなかの一つのグループ「反公害輸出通報センター」（のち「反核パシフィックセンター東京」）に属していました。二人で情報を収集し、その機関誌『公害を逃すな』に記事を書くなどをしていました。

宇井純さんは、一九六〇年代以降水俣病を告発する科学者として活動していましたが、その矛先は、科学のあり方にも向けられました。細分化された科学、定量的な分析ばかりを重んじる科学が「住民を煙に巻く」だけで問題の解決にまったくつながっていない、と警鐘を鳴らしました。では、そうではない科学のあり方は可能なのか。宇井さんが希望を見出したのが、住民自身による科学でした。とくに評価していたのは、一九六四年ごろ、三島・沼津石油コンビナート計画に反対する住民たちが、鯉のぼりを使った風向き調査によって公害の発生を科学的に予測するという調査活動を行い、コンビナート計画の撤回を勝ちとったことでした(『宇井純セレクション3　加害者からの出発』新泉社、二〇一四年)。

同じころ二人は、高木仁三郎さん(一九三八〜二〇〇〇年)にも出会います。チェルノブイリ原発事故後に盛り上がりをみせた東京での反原発運動で、二人は、高木さんらの原子力資料情報室とともに、裏方として奔走していました。そんななか、一般市民向けに作成した原発問題の入門パンフレットを作るにあたって高木さんに監修をお願いしたとき、高木さんから、ある肝心な数値について――この数値は、よく読まれている本から、当然正しいと思って引用していたものでした――、「これは間違っている」と鋭く指摘されました。そして、高木さんはその場で計算し直してみせたのです。

高木さんはこう書いています。「たとえば『原発の取水口から重油が入りこんだらどうなるか』といった問題について、自らが市民としてその疑問を抱き、あるいは一般市民からの質問を受けて立ち、科学者としての専門性を保持しつつ問題に答えていけるような科学者ないしその営みのことを『市民の科学』と言えるだろう」(高木著『市民の科学』講談社学術文庫、二〇一四年)。

上田はのちに、科学・技術と社会のあいだで生じるさまざまな問題を市民が集って学習し議論する活動を、小さな規模で始めます。そして、それを議論だけに終わらせずに、「自分たちで調べて、その成果を世の中を変えることにつなげるところまで持っていこう」との思いから「NPO法人市民科学研究室」(https://www.shiminkagaku.org/)を立ち上げました。上田が、資金繰りが苦しいなかでまがりなりにもこの非営利組織の活動を続けてこられたのは、高木さんが、亡くなる直前の時期に「高木学校」を創設し、それこそ命がけで次の世代に「市民の科学」の継承を託そうとする姿を、目の当たりにしていたからだと思います(市民科学研究室のホームページでは、二〇年近い活動のなかで得られたものをすべて公開していますので、ぜひお立ち寄りください)。

一方、宮内は、さまざまな市民運動・市民活動にかかわりながら、つねに市民目線の学問とは何かと考えながら調査研究を進めてきました。薫陶《くんとう》を受けた鶴見良行さん(一九二六〜一九九四年)は、『バナナと日本人』(岩波新書、一九八二年)など、市民の立場での調査研究を進めた先駆者でしたが、宮内は仲間たちとその遺志を受け継いで、かつお節の研究を進めました（宮内泰介・藤林泰著『かつお節と日本人』岩波新書、二〇一三年）。さらには、おもに環境保全やコミュニティの分野で、実践的な調査研究、あるいは、実践に役立つ調査研究を模索してきました（宮内著『歩く、見る、聞く　人びとの自然再生』岩波新書、二〇一七年）。

人びとによる科学、人びとによる調査研究はいかに可能なのか。私たち自身も模索しているその道の、道先案内のひとつになればよい、と思ってこの本を書きました。また、広く教育にたずさわる方々や地域のために働く自治体職員などのニーズに応えることも念頭において書きました。

調査は実際に行ってこそです。ぜひこの本を利用して、調査を実践してみてください。実際に行えばわかりますが、調査はおもしろく、楽しいものです。

「ペットボトルの水のウォーター・マイレージ」を計算しようとして、輸入されている水に思ってもみないような分類がほどこされていることや、貨物船にいろいろな航路があることを知ったときの驚き。計測データが距離に応じて上がり下がりしながら減衰していくパターンを示していて、それをまったくの門外漢である自分が専門書をイチから勉強して自力で計算して導けたときの感激。

フィールドワークで、「こんな人がいたんだ」というすばらしい人に出会えたときの感動。あちこちで聞いた話と資料からの情報をつきあわせてみることで、「あ、そうか！」とわかった瞬間の喜び。

この本は、自分で進めるそのような調査研究の際に、つねに横に置いて参照される本でありたいと思っています。

おおまかな執筆分担について記すと、第1章、第2章、第3章を宮内が、第4章を上田が担当しました。第5章は主に宮内が担当し、一部を上田が担当しました。とはいえ、全体の構成や内容については二人で議論しながら作りましたし、お互いの担当章についても手を入れあっています。若いとき以来の二人の合作となりました。

前著『自分で調べる技術』は、幸いにも、二〇〇四年から一五年以上にわたって多くの読者に読み継がれてきました。長年この本を読んでくださった読者のみなさんがいたおかげで、今回、新たな本を誕生させることができました。

全体を新たに書き下ろしましたが、前著と内容的に重なるところでは、一部記述が重なる場合もあります。

この本の作成段階では、岩波書店編集部の坂本純子さんや校正担当の方に、数多くの指摘やサジェスチョンをいただきました。

なお、本書内の情報、たとえば各サイトの情報、検索ヒット数、価格といったものは、とくに注記がないかぎり、二〇二〇年前半に調べたデータを使っています。

また、この本のフォローアップは以下のサイトで行います。情報のアップデートとともに、取り上げきれなかった調査のノウハウについてもお伝えできればと思います。

実践 自分で調べる技術　https://jibundeshiraberu.jimdofree.com/

この本は使う本です。たとえば、この本を使って各地で市民のための調査入門講座などが生まれれば、それは私たちにとって望外の喜びです。そんな際に、私たちにお手伝いできることがあれば、お声がけください。

二〇二〇年九月

宮内泰介
上田昌文

参考文献

第 1 章

原田正純 2007『水俣への回帰』日本評論社

第 2 章

吉井潤 2017『仕事に役立つ専門紙・業界紙』青弓社

第 3 章

愛甲哲也・庄子康・栗山浩一編 2016『自然保護と利用のアンケート調査——公園管理・野生動物・観光のための社会調査ハンドブック』築地書館

大谷信介・木下栄二・後藤範章・小松洋編著 2013『新・社会調査へのアプローチ——論理と方法』ミネルヴァ書房

宮本常一 1972「調査地被害」朝日新聞社編『朝日講座　探検と冒険 7』pp.262-278(『宮本常一著作集 31 旅にまなぶ』，および宮本常一・安渓遊地 2008『調査されるという迷惑——フィールドに出る前に読んでおく本』に再録)

第 4 章

五十嵐中・佐條麻里 2010『「医療統計」わかりません!!』東京図書

Michael Harris, Gordon Taylor(奥田千恵子訳) 2015『たったこれだけ！　医療統計学』金芳堂

第 5 章

川喜田二郎 1967『発想法』中公新書

佐野眞一 2001『私の体験的ノンフィクション術』集英社新書

参考サイト

本や雑誌記事・論文を探す

国立国会図書館サーチ　https://iss.ndl.go.jp/

J-STAGE　https://www.jstage.jst.go.jp/

IRDB　https://irdb.nii.ac.jp/

CiNii Books　https://ci.nii.ac.jp/books/

Google Books　https://books.google.co.jp/

カーリル　https://calil.jp/

日本の古本屋　https://www.kosho.or.jp/

PubMed　https://pubmed.ncbi.nlm.nih.gov/

Bibgraph　https://bibgraph.hpcr.jp/

Google Scholar　https://scholar.google.co.jp/

専門図書館を探す

カーリル「専門図書館リスト」　https://calil.jp/library/special

東京都立図書館「専門図書館ガイド」　https://senmonlib.metro.tokyo.lg.jp/

dlib（専門図書館横断検索）　https://dlib.jp/

新聞記事を探す

G-Search　https://db.g-search.or.jp/

政府統計・資料を探す

政府統計の総合窓口 e-Stat　https://www.e-stat.go.jp/

電子政府の総合窓口 e-Gov　https://www.e-gov.go.jp/

標本調査について

総務省統計局「標本調査とは？」　https://www.stat.go.jp/teacher/survey.html

研究助成を探す

公益財団法人助成財団センター　http://www.jfc.or.jp/

助成金ねっと　http://www.josei-kin.net/

高木仁三郎市民科学基金　http://www.takagifund.org/

宮内泰介

北海道大学大学院文学研究院教授．博士(社会学)．専門は環境社会学．環境社会学会元会長．NPO 法人さっぽろ自由学校「遊」共同代表．著書：『歩く、見る、聞く　人びとの自然再生』，『かつお節と日本人』(共著)(以上，岩波新書)，『震災と地域再生』(共編著，法政大学出版局)，『グループディスカッションで学ぶ　社会学トレーニング』(三省堂)，『なぜ環境保全はうまくいかないのか』(編著，新泉社)ほか．

上田昌文

NPO 法人市民科学研究室代表理事．大学では生物学を専攻．2003-06 年科学技術社会論学会の理事．2005-07 年東京大学「科学技術インタープリター養成プログラム」特任教員．2010-18 年に恵泉女学園大学において「市民と環境政策」を担当．2013-19 年高木仁三郎市民科学基金・選考委員．著書：『原子力と原発　きほんのき』(クレヨンハウス・ブックレット)，『エンハンスメント論争』(共編，社会評論社)ほか．

実践　自分で調べる技術　　岩波新書(新赤版)1853

2020 年 10 月 20 日　第 1 刷発行
2023 年 12 月 5 日　第 6 刷発行

著　者　宮内泰介《みやうちたいすけ》　上田昌文《うえだあきふみ》

発行者　坂本政謙

発行所　株式会社　岩波書店
〒101-8002 東京都千代田区一ツ橋 2-5-5
案内 03-5210-4000　営業部 03-5210-4111
https://www.iwanami.co.jp/

新書編集部 03-5210-4054
https://www.iwanami.co.jp/sin/

印刷・三秀舎　カバー・半七印刷　製本・牧製本

ISBN 978-4-00-431853-8　　Printed in Japan

岩波新書新赤版一〇〇〇点に際して

ひとつの時代が終わったと言われて久しい。だが、その先にいかなる時代を展望するのか、私たちはその輪郭すら描きえていない。二〇世紀から持ち越した課題の多くは、未だ解決の緒を見つけることのできないままであり、二一世紀が新たに招きよせた問題も少なくない。グローバル資本主義の浸透、憎悪の連鎖、暴力の応酬――世界は混沌として深い不安の只中にある。

現代社会においては変化が常態となり、速さと新しさに絶対的な価値が与えられた。消費社会の深化と情報技術の革命は、種々の境界を無くし、人々の生活やコミュニケーションの様式を根底から変容させてきた。ライフスタイルは多様化し、一面では個人の生き方をそれぞれが選びとる時代が始まっている。同時に、新たな格差が生まれ、様々な次元での亀裂や分断が深まっている。社会や歴史に対する意識が揺らぎ、普遍的な理念に対する根本的な懐疑や、現実を変えることへの無力感がひそかに根を張りつつある。そして生きることに誰もが困難を覚える時代が到来している。

しかし、日常生活のそれぞれの場で、自由と民主主義を獲得し実践することを通じて、私たち自身がそうした閉塞を乗り超え、希望の時代の幕開けを告げてゆくことは不可能ではあるまい。そのために、いま求められていること――それは、個と個の間で開かれた対話を積み重ねながら、人間らしく生きることの条件について一人ひとりが粘り強く思考することではないか。その営みの糧となるものが、教養に外ならないと私たちは考える。歴史とは何か、よく生きるとはいかなることか、世界そして人間はどこへ向かうべきなのか――こうした根源的な問いとの格闘が、文化と知の厚みを作り出し、個人と社会を支える基盤としての教養となった。まさにそのような教養への道案内こそ、岩波新書が創刊以来、追求してきたことである。

岩波新書は、日中戦争下の一九三八年一一月に赤版として創刊された。創刊の辞は、道義の精神に則らない日本の行動を憂慮し、批判的精神と良心的行動の欠如を戒めつつ、現代人の現代的教養を刊行の目的とする、と謳っている。以後、青版、黄版、新赤版と装いを改めながら、合計二五〇〇点余りを世に問うてきた。そして、いままた新赤版が一〇〇〇点を迎えたのを機に、人間の理性と良心への信頼を再確認し、それに裏打ちされた文化を培っていく決意を込めて、新しい装丁のもとに再出発したいと思う。一冊一冊から吹き出す新風が一人でも多くの読者の許に届くこと、そして希望ある時代への想像力を豊かにかき立てることを切に願う。

（二〇〇六年四月）